Les Éditions du Boréal
4447, rue Saint-Denis
Montréal (Québec) H2J 2L2
www.editionsboreal.qc.ca

# LES MARÉES

DU MÊME AUTEUR

*Ta mère est folle*, Recto Verso, 2013.

Brigitte Vaillancourt

# LES MARÉES

boréal inter

Dépôt légal : 4e trimestre 2017
Bibliothèque et Archives nationales du Québec

Diffusion au Canada : Dimedia
Diffusion et distribution en Europe : Interforum

*Catalogage avant publication de Bibliothèque et Archives nationales du Québec et de Bibliothèque et Archives Canada*

Vaillancourt, Brigitte, 1978-

Les marées

(Boréal inter ; 70)

Pour les jeunes de 12 ans et plus.

ISBN 978-2-7646-2507-1

I. Titre. II. Collection : Boréal inter ; 70.

PS8643.A36M37 2017 jC843'.6 C2017-941631-6

PS9643.A36M37 2017

ISBN PAPIER 978-2-7646-2507-1

ISBN PDF 978-2-7646-3507-0

ISBN ePUB 978-2-7646-4507-9

*À Lissy et à mes autres familles*

# Note

*Cette histoire se déroule en 1998. C'était avant les textos, avant Skype, avant toutes ces choses qui rendent les communications internationales tellement plus faciles. Internet commençait tout juste à entrer dans les maisons. On envoyait encore des lettres par la poste en attendant patiemment une réponse qui pouvait prendre des semaines à venir.*

# Les sœurs Pellerin

J'ai toujours eu cette envie de mentir sur mon identité, à commencer par mon prénom, Capucine, un nom de fleur – comestible, de surcroît. Raconter n'importe quoi, sauf cette famille bavarde, tapageuse, fardée comme une rue du centre-ville au cœur de l'été.

Ma mère et mes tantes étaient toutes issues du même moule. Quatre femmes criardes et exubérantes, pas du tout comme moi.

Elles étaient nées à dix-huit mois d'intervalle, en alternance : été, hiver, été, hiver. Ça faisait de jolies photos de famille sur lesquelles elles étiraient faussement leur sourire vermillon dans un frou-frou de robes à fleurs.

Leurs récits d'enfance évoquaient les contes d'un autre temps. Des histoires démodées, truffées de clichés : les tutus pour le ballet, les meringues aux couleurs pastel, les compétitions de ski, les médailles et les trophées, sans oublier le labrador, blond lui aussi. Des souvenirs au fini satiné, semblables à leurs photos.

J'ai toujours aimé regarder leurs vieux albums. Plutôt que de m'extasier sur leurs sourires, j'y cherchais des failles, je scrutais chaque portrait jusqu'à l'user pour y déceler un œil noir, une mâchoire fâchée. Souvent, je ne trouvais rien, et mon imagination partait en vrille.

La famille blonde de ma mère était du style nouveau riche. Manoir préfabriqué avec piscine hors terre, terrasse fleurie et barbecue rutilant : tout y sonnait faux. Les chums bedonnants faisant claquer les bretelles des bikinis avec leur rire gras, les transats bariolés, les sacs de chips au ketchup format géant et les vodkas limes en bouteille…

L'été, les réunions familiales servaient de prétexte à ma mère et à mes tantes pour exhiber leur peau bronzée, enduite de crème solaire. Moi, je préférais me terrer à l'ombre, mais il y avait peu d'endroits où me cacher dans ces lotissements de banlieue. Peu importe où j'allais me réfugier, les voix haut perchées des Pellerin m'emplissaient la tête. Par contraste, je chuchotais. Avec un sérieux implacable, je les obligeais à me faire répéter jusqu'à ce qu'elles abandonnent, exaspérées.

Les sujets de prédilection de mes tantes sonnaient comme de vieilles rengaines. Elles aimaient discuter de mode et d'esthétisme : la taille amincie d'Emma, la ligne de sourcils de Jacqueline, les implants mammaires de Jasmine, qui, j'en étais persuadée, s'était également fait limer l'arête du nez. Une opinion que je m'efforçais de taire. Solange – j'ai toujours appelé ma mère par son prénom – aurait trop aimé pouvoir glisser à l'oreille de son aînée :

— Même Capucine a remarqué.

Avec une pointe de jalousie puisqu'elle aurait bien aimé, elle aussi, y aller de quelques retouches. Tonifier la peau du visage, lisser les pattes-d'oie. Il m'arrivait de la surprendre en train de se remonter les pommettes avec les doigts devant le miroir. Grotesque.

Mes tantes ne désespéraient pas de me convertir, de faire de moi une Pellerin à leur image, pomponnée, les fesses moulées dans un jeans étroit acheté à rabais dans un magasin à rayons. Elles espéraient m'avoir à l'usure, à coups de robes cintrées et d'accessoires scintillants.

— Capuciiine ! Regarde-moi donc ça, le beau rouge à lèvres corail.

L'équivalent d'un cri de ralliement. Instantanément, les blondes se ruaient sur moi comme des abeilles sur un pot de miel. Il fallait être aveugle, ne pas vouloir me regarder ne serait-ce qu'une seconde pour s'imaginer que j'allais m'extasier à la vue d'un rouge à lèvres.

Leur enthousiasme était tenace. Je me rétractais, elles renchérissaient :

— Viens ici, ma belle, j'veux te faire essayer ma petite robe noire glamour.

— Emma, t'as beau être au régime, tes robes sont deux fois trop grandes pour Capucine !

Éclat de rire généralisé. Un peu méchant, le rire.

J'étais la seule à ne pas les trouver drôles.

# Solange

Ma mère piaillait, caquetait, gloussait et se dandinait comme une poule, mais ses membres étaient graciles et effilés comme ceux d'une gazelle : son cou, ses jambes, ses mains, longues et fines comme deux fées greffées à ses bras agités. Et son ventre, lui, était si plat qu'il creusait vers l'intérieur. Je m'étonnais encore qu'un enfant ait pu s'y loger.

Solange se déplaçait par bonds, surgissant dans un élan pour déverser un flot de paroles insignifiantes. Elle était capable de parler sans interruption, respirant par pulsations superficielles. Intarissable, elle vomissait des informations non sollicitées sur sa journée de travail, son feuilleton préféré, ses derniers achats, l'arthrite de la voisine.

Elle aimait les couleurs voyantes, les tissus graphiques et les talons hauts. Dans les lieux publics, elle faisait résonner son rire strident, attirant les regards.

Moi, au contraire, je portais le plus souvent le noir, ce que Solange l'esthéticienne aimait désigner comme une non-couleur. Elle en faisait une affaire personnelle, répétant que c'était du sabotage. Dans quelques années, lorsqu'il me faudrait plusieurs nuances de cache-cernes, je regretterais de ne pas avoir appris à manipuler les tubes de maquillage. Contrairement à elle qui savait comment superposer les épaisseurs, avec ses traits figés sous un masque jaune-orange, presque fossilisée.

L'agitation de ma mère provoquait chez moi un réflexe opposé : le repli. Pour oublier sa présence, je pensais au souffle doux de la baleine. Ou encore à l'œil noir de l'éléphant qui battait l'air chaud avec ses oreilles.

J'ai toujours aimé les mammifères volumineux, les pachydermes et les cétacés qui habitent des kilomètres de territoire, d'eau et de terre, alors que chez moi, l'espace était petit, cloisonné. Et il y avait Solange qui meublait chaque racoin de son corps fuselé et de sa voix nerveuse.

Nous étions deux étrangères.

## Le diplomate

Quelque part, il y avait aussi mon père, Armand Leclerc. Mon père qui préférait garder le silence. Les sourcils froncés. Perpétuellement soucieux. Un homme distant et froid comme un vent de février.

Pour lui, Montréal était une escale. Une valise traînait en tout temps dans le corridor de son condominium, pour bien signifier à autrui – en l'occurrence moi – qu'il valait mieux ne pas s'attarder. J'ai rapidement appris à ne pas gaspiller le temps de mon père.

Diplomate, il travaillait comme un forcené dans tous les coins du monde, avec une prédilection pour le continent africain. « Les pays en guerre », disait-il avec hauteur, là où il pouvait déployer ses talents d'expert en résolution de conflits, sortir des populations lointaines de l'impasse. Avec le temps, j'en avais déduit qu'il était à son meilleur auprès des étrangers.

Enfant, je le suppliais souvent de me laisser l'accompagner. Une fois seulement, sans me dire pourquoi, il a accepté. Ma mère devait avoir besoin qu'il s'occupe un peu de moi.

J'avais alors passé une semaine entière avec Akou, une nounou togolaise vêtue de pagnes rayonnants, qui parlait un français rond dont les sonorités se sont imprimées dans ma mémoire à la manière d'une mélodie de l'enfance. Avec elle, j'étais Kossiwavie, « l'enfant née un dimanche » en langue éwé. Je la trouvais belle, avec ses cheveux tressés et sa peau d'un noir de charbon. Avec elle, il n'y avait pas de tubes de rouge à lèvres ni de sacoches en faux cuir.

Akou m'emmenait à la piscine de l'hôtel Gaweye. Un jour, j'avais vu une grenouille à l'abdomen rond qui tentait désespérément d'en sortir. Pendant huit jours, j'avais mangé du poulet et des frites, des omelettes et des frites, des poissons grillés et des frites. Je n'ai jamais mangé autant de frites de toute ma vie. Au dessert, des papayes et des mangues, des fruits gorgés de soleil.

Au zoo, j'avais pu observer un hippopotame immergé dans une mare boueuse, qui sentait mauvais. Et, dans une cage trop petite, un lion qui tuait l'ennui à coups de bâillements. Il m'avait bien plu, ce félin captif aux yeux paresseux. J'aurais aimé pouvoir le libérer, lui donner la possibilité de faire un carnage.

L'odeur… J'ai gardé le souvenir d'avoir respiré un air différent du mien. Un parfum vert, humide, touffu, limite suffoquant. La chaleur jusqu'à l'intérieur des poumons. J'aurais voulu que ça dure.

Dans l'avion, au retour, mon père avait posé des yeux étonnés sur moi. Il semblait avoir oublié que je faisais partie du voyage. Pour lui, j'étais comme un bagage encombrant, du genre hors format.

# L'appel du large

C'est en partie pour m'éloigner que je me suis inscrite en bioécologie au cégep de La Pocatière. Entre terre et mer, comme le disait la brochure. Ma première échappée.

Les sciences me réconfortaient. J'aimais la sonorité des termes : $H_2O$, biome, mysticètes, zones intertidales, circulation thermohaline…

Là où certains ne voyaient qu'un tas de formules mystérieuses, j'entrevoyais mille possibilités. La perspective d'étudier l'infiniment petit, comme le phytoplancton, et l'infiniment grand, comme les majestueuses baleines bleues.

Je m'imaginais déjà en mer, armée d'une arbalète, pour aller recueillir un échantillon de peau et de gras de béluga ; ou penchée sur un microscope pour essayer de comprendre ce qui perturbait son cycle de vie.

Le travail en laboratoire ne m'effrayait pas. J'ai toujours aimé le calme, l'organisation. Oublier tout le reste pour m'en tenir aux faits.

À l'automne, j'y serais. Une chambre m'attendait

près du cégep. Je préparais mon départ comme une longue migration, à l'image des baleines qui suivaient les courants dans l'estuaire du fleuve. Après, je pourrais poursuivre mes études à Rimouski, où l'eau salée se densifiait, où l'on enseignait la biologie marine.

# M. E. Keats

Un soir de mai 1998, Solange s'est tue d'un coup sec. L'année scolaire s'achevait, le moment de ma migration approchait. Le téléphone a sonné à quatre reprises. Essoufflée par la course depuis la cuisine, elle a atteint l'appareil dans un élan pressé. Les traits maquillés de son visage se sont décomposés.

— Non, je ne peux pas, a-t-elle répondu sèchement avant de raccrocher.

Le regard bas, elle s'est dirigée vers sa chambre sans laisser échapper un mot, pas même un murmure. Un silence incongru s'est abattu sur l'appartement. Je me suis demandé si quelqu'un était mort.

Sur l'afficheur de l'appareil, un nom apparaissait : M. E. Keats. Le nom de jeune fille de ma grand-mère maternelle. En cherchant, j'ai trouvé une Mary Ellen Keats à Georgeville. Je ne voyais pas de qui il pouvait s'agir.

Le lendemain, j'ai failli passer tout droit. Ma mère donnait habituellement le coup d'envoi à la journée. Elle allumait la radio, démarrait la machine à café, fredonnait en s'activant dans toutes les pièces de la maison. Ce matin-là, c'est le tintamarre du camion à ordures qui m'a tirée du sommeil. L'école commençait dans à peine plus d'une heure, sans compter mon entraînement de natation qui avait lieu juste avant.

Je suis partie à la course, remarquant au passage les chaussures et le sac à main de ma mère dans l'entrée. Elle était toujours couchée, ce qui était franchement inhabituel. Solange ne prenait jamais de journée de congé. Dans le local exigu aux murs fuchsia de son salon de soins esthétiques, elle était libre de bavarder à sa guise.

J'ai filé vers l'école, sans ralentir une fois les portes franchies. Il me fallait encore rejoindre les vestiaires et enfiler mon maillot. Je suis arrivée en trombe pour me rendre compte que j'avais raté de peu les échauffements. L'eau froide de la piscine m'a réveillée pour de bon.

— Dix minutes de retard, dix longueurs supplémentaires, a aboyé monsieur Kouri entre deux coups de sifflet.

Ça ne me dérangeait pas. Le soleil pénétrait par les fenêtres, formant des dessins à la surface de l'eau chlorée. Sans compter les longueurs, j'ai forcé la cadence pour me réchauffer, jusqu'à atteindre une vitesse confortable, un souffle constant. J'aurais pu y passer la journée.

Après l'entraînement, je suis allée de cours en cours sans plus me soucier de Solange, la tête délestée par la nage.

Quand je suis rentrée chez moi, l'air était lourd

comme un ciel avant l'averse. Solange semblait inquiète, peut-être même qu'elle avait peur, et cela faisait un bruit discordant dans notre appartement.

Elle ne m'a pas saluée. Je l'ai dévisagée un instant. Elle avait mis tellement de fond de teint que j'aurais pu, en passant le doigt sur son visage, y laisser une marque, y percer un trou.

Au cours des jours suivants, la fébrilité de Solange s'est emparée de l'appartement comme une colonie de fourmis. Elle faisait la navette entre la boîte aux lettres et sa chambre, en attente. Elle s'est mise à faire des recherches, sous l'emprise d'une manie furieuse, la tête enfouie au fond du grand coffre en bois qui renfermait ses souvenirs, un fouillis pas possible de photos, de fleurs séchées, de dentelles jaunies et de feuilles de papier froissées. En temps normal, elle aurait tenté de m'y intéresser, m'aurait sorti de vieilles photos d'elle en bikini à fleurs sur des skis nautiques. Mais là, rien.

Au bout d'une semaine de ce drôle de manège, je suis tombée sur ma mère prostrée devant le courrier.

— Ça va ?

Elle a tressailli sans pour autant me répondre. Elle tenait une lettre entre ses mains.

Une heure plus tard, elle est sortie de l'appartement en trombe. Sans maquillage, les cheveux plats, les yeux fous et jaunes comme une pleine lune de canicule. Elle est passée devant moi sans me voir, sans refermer la porte derrière elle, à la manière d'un robot détraqué.

## La feinte

Le trajet jusqu'au centre-ville m'a pris moins de 20 minutes. J'avais pédalé furieusement, dévalant l'avenue du Parc.

Mon père a semblé mécontent d'entendre ma voix dans l'interphone. Aucun doute, il avait oublié notre rendez-vous.

— Tu n'es pas à l'école ? m'a-t-il dit en guise de salutation, la main posée sur la poignée de porte.

Pour lui, il aurait fallu que je sois en classe du matin jusqu'au soir. Même le concept de fin de semaine, il avait du mal à le saisir, et celui de vacances encore davantage : une invention de fainéant. Les journées pédagogiques, c'était le comble de la bêtise. Ignorant sa question, je suis allée directement à la cuisine.

— À vrai dire, Capucine, j'étais sur mon départ, m'a-t-il avertie en faisant pianoter ses doigts sur le comptoir. Tu veux quelque chose ?

— Papa, c'est toi qui m'as invitée. Tu as oublié ?

Il s'est excusé platement. Il avait beaucoup à faire, son avion décollait le soir même.

— Je peux te commander une pizza, si tu veux.

J'avais avantage à aller droit au but :

— Je n'ai pas faim. En fait, j'ai juste besoin d'une information. Peux-tu me dire, toi, qui est Mary Ellen Keats ?

Silence. Un silence plombé, ce qui, en soi, ne voulait pas dire grand-chose. J'ai eu le temps de compter lentement jusqu'à dix dans ma tête avant qu'Armand réagisse. Un simple soupir, presque rien.

Mon père m'a tourné le dos pour se faire un café. Un espresso bien tassé.

— Je t'en fais un ?

— Non.

Je ne buvais jamais de café et je ne fumais pas. Mon père ne savait pas qui j'étais.

J'ai attendu qu'il ait avalé le contenu de sa tasse avant de répéter ma question, comme un fauve guettant sa proie. Sans peur.

— Pourquoi diable voudrais-tu que je te parle de Mary Ellen Keats ?

— Elle a appelé à la maison, Solange est devenue blanche comme un drap. Ça fait une semaine qu'elle n'a pas dit un mot.

Il fixait la table d'un regard inexpressif.

— Armand, m'écoutes-tu ? ai-je dit en haussant la voix.

Il a redressé la tête d'un coup et m'a balancé une réponse factuelle.

— Mary est la sœur aînée de ta grand-mère maternelle. Tu ne l'as pas connue. Si ça se trouve, elle est morte, et quelqu'un a appelé Solange pour le lui annoncer…

Il s'est levé trop brusquement. La tasse lui a glissé des mains et s'est cassée sur le sol. Le café faisait une tache sombre sur le carrelage blanc. Mon père a poussé un juron.

— Il faut vraiment que je parte, Capucine.

J'avais réussi à ébranler le tas de cailloux.

## Luce

Dans une cabine téléphonique qui puait l'urine, j'ai composé le numéro de Luce, la mère de mon père, celle qui rattrapait la distance entre les autres et moi, qui était mon refuge, mon port d'attache.

— Allô, ma puce, ça va ? a-t-elle répondu avec entrain.

Sans détour, je lui ai demandé si l'on pouvait se voir. Elle s'est assurée qu'il ne m'était rien arrivé avant de me proposer de venir la rejoindre en matinée dès le lendemain.

— Et la librairie ? lui ai-je demandé, sachant qu'elle y était habituellement chaque matin pour l'ouverture.

— Ne t'inquiète pas, j'irai plus tard. J'ai un employé, tu sais.

L'année de ses soixante-dix ans, Luce s'était offert une librairie en perdition. Une erreur, aux yeux de mon père : « C'est une faillite assurée. Comment feras-tu pour vivre ? À ton âge ! »

Elle ne l'a pas écouté. Elle ne faisait pas d'argent, n'en

perdait pas trop non plus, et elle passait son temps entourée de livres dans un local ensoleillé où flottait la poussière. Et puis l'argent, elle s'en foutait. Elle préférait s'occuper les mains et la tête.

Comme convenu, le lendemain, j'ai retrouvé ma grand-mère assise sur son balcon dans la lumière matinale. Elle m'attendait, un livre à la main, fleurant bon la verveine. Ses doigts aux jointures raides tapotaient la rosée qui s'était déposée sur la rambarde écaillée. Luce ressemblait à une vieille actrice de film français, un style un peu suranné qui lui réussissait bien et qui s'harmonisait avec ses yeux vert céladon, des yeux de mer et de brouillard.

— Qu'est-ce que tu lis ? lui ai-je demandé en me penchant pour voir la couverture du livre.

— Patti Smith, tu connais ?

— Non, c'est qui ?

— Une icône rock des années 1970. C'est un recueil de ses poèmes. Pas mal pour une mamie, hein ? Après, je vais l'offrir en cadeau à ton père, juste pour le plaisir de voir sa tête, m'a-t-elle répondu avec son sourire des beaux jours.

Elle m'a proposé de profiter de l'éclaircie pour aller marcher. N'y tenant plus, je l'ai interrogée au premier coin de rue.

— Grand-maman, il y a une Mary Ellen Keats qui a appelé Solange. Tu vois c'est qui ?

— Bon Dieu, Capucine ! Tu y vas fort ce matin. Ça

faisait longtemps que je n'avais pas entendu prononcer le nom de la vieille Mary ! a-t-elle dit en me dévisageant.

Elle prononçait Mary à l'anglaise.

Allongeant le pas, ma grand-mère a tourné à gauche sur l'avenue Laurier, m'entraînant vers le mont Royal. Ce faisant, elle a saisi mon bras, non pas pour prendre appui, mais pour se rapprocher de moi.

— C'est une amie à toi ? ai-je demandé.

— Une amie ? Certainement pas. C'est une Keats. Tout le monde connaissait les Keats à Magog.

Luce avait tourné la tête vers moi. Elle m'étudiait. J'ai tout raconté : l'appel de M. E. Keats, le comportement erratique de Solange, la mystérieuse lettre, ainsi que ma visite impromptue chez Armand.

— Luce, je sais qu'il se passe quelque chose. Il faut que tu m'aides.

— Non, a-t-elle dit sans ralentir.

— Comment ça, non ? ai-je dit.

— Désolée, ma puce, mais ce n'est pas à moi qu'il faut que tu demandes ça.

Elle m'a fait sa tête obstinée. Devant mon air ahuri, elle a ajouté :

— Je ne peux pas parler pour ta mère, Capucine. Il faut que tu essaies... Va la voir, dis-lui que tu t'inquiètes pour elle.

Pour une rare fois, Luce me décevait. Elle l'a vu à mon expression et s'est adoucie un peu.

— Écoute, si Solange refuse de parler, je te promets de t'expliquer certaines choses que tu es en âge de savoir.

Un vent doux a soufflé sur mes bras dénudés, charriant un parfum de terre humide. Les feuilles nouvellement sorties bruissaient autour de nous. La rue était calme.

Quelque chose d'important resurgissait du passé, quelque chose qui affectait ma mère, mais aussi mon père. Qui les faisait se taire, ensemble.

# Dialogue de sourds

J'ai trouvé ma mère en pyjama, un masque verdâtre sur le visage, en mode bain, petits soins et télévision abrutissante.

Solange avait l'habitude d'acheter ses vêtements dans la section « jeunesse » des grands magasins. Avec beaucoup d'accessoires, elle trouvait que ça ne paraissait pas. Je n'étais pas d'accord. Sa robe de chambre à motifs d'étoiles filantes lui arrivait à peine sous les fesses, et ses pantoufles en forme d'animaux ne lui allaient pas du tout.

J'ai attendu qu'elle soit installée devant la télévision, passant d'une chaîne à l'autre, à la recherche d'une quelconque émission de variétés. Dans le salon étriqué, nous avions nos espaces attitrés : le divan pour elle, le fauteuil pour moi.

— J'ai vu passer un documentaire sur les éléphants. Tu veux qu'on le regarde ? m'a demandé Solange.

Je n'ai pas répondu.

— Un film, alors ?

— En fait, je voudrais que tu me parles de Mary

Ellen Keats, ai-je lancé sans tout à fait tourner la tête vers elle.

Ma mère s'est mise à triturer machinalement le pendentif en forme de croix qu'elle avait hérité de sa mère, le regard suspendu à une publicité débile où une femme trop bien habillée faisait l'éloge d'un détergent bon marché.

— Solange ?

Aucune réponse. Ma mère était ailleurs. J'avais le ventre noué. J'ai répété son nom, comme une torture.

— Oui, a-t-elle répondu en changeant de chaîne, en espérant peut-être que ma question se noierait dans l'écho du téléviseur.

— Maman ! Tu peux m'expliquer ce qui se passe ?

Elle s'est redressée sur le divan.

— Depuis quand est-ce que tu t'intéresses à ma famille, toi ?

J'ai saisi la balle au bond.

— Depuis qu'il est question des Keats. Ça devient intéressant tout à coup.

— Écoute, Capucine, fais donc comme d'habitude et mêle-toi de tes affaires.

Je rageais.

— Comme tu veux. De toute façon, si ce n'est pas toi qui m'expliques, ça sera quelqu'un d'autre.

Ma mère n'a pas bronché. Elle serrait la télécommande avec force, les phalanges blanches, sur le point de fondre en larmes.

— Je ne peux pas, Capucine. Je ne peux juste pas, a-t-elle dit en m'implorant de ses yeux jaunes.

Dans son regard, il y avait une peine insondable. Courbant la tête comme pour s'enrouler sur elle-même, ma mère a fini par s'extirper du creux du divan pour rejoindre sa chambre en laissant traîner ses pantoufles sur le plancher. J'entendais le « squich squich » s'éloigner.

Des effluves sucrés de crème hydratante bon marché flottaient dans l'air. Le genre qui me donnait des rougeurs et des éternuements en rafale, à cause de ce nez ultrasensible que je tenais de mon père. Le téléviseur continuait d'aboyer. J'avais la conviction d'avoir mis le doigt sur quelque chose d'important, mais je ne pouvais m'empêcher d'en vouloir à ma mère, de la trouver lâche en plus du reste.

## Réveil brutal

Allongée sur mon lit, j'ai entendu le bruit de la porte d'entrée qui s'ouvrait et se refermait, ainsi que les pas distinctifs de ma mère dans l'escalier. Il était minuit passé.

J'ai dormi d'un sommeil peuplé de rêves décousus dont j'ai émergé en sursaut au petit matin.

Ma mère se tenait devant mon lit. Elle avait les traits tirés, les yeux bouffis.

Elle a attendu que je me sois redressée et que j'aie mis mes lunettes pour m'annoncer qu'elle partait quelques jours à la campagne, chez sa sœur Jacqueline.

— Et le salon ? ai-je lancé, interdite.

— Quoi, le salon ? Je peux bien prendre un congé. Il ne va pas fermer parce que je m'en vais trois jours !

Comme je ne disais rien, elle a poursuivi :

— J'ai laissé de l'argent sur le comptoir de la cuisine. Faudrait arroser les plantes, demain… et n'oublie pas d'allumer la lumière du salon avant d'aller te coucher, a-t-elle dit en faisant cliqueter son trousseau de clés.

— Tu pars… tout de suite ?

Elle a acquiescé, puis s'est dirigée vers l'entrée. Je me suis levée pour la suivre.

Ma mère avait retrouvé son look habituel : parfumée, les yeux fardés, les cheveux gonflés avec de la mousse coiffante. Elle a enfilé son manteau en cuirette ceinturé à la taille et m'a saluée comme si rien ne s'était passé. Il y avait bien ces ombres violacées sous ses yeux qui lui donnaient un air de chouette égarée, mais on ne les voyait pas tant que ça sous les épaisseurs de cache-cernes.

Saisissant sa valise d'une main, elle s'est retournée pour m'embrasser sur le front, une main posée à l'arrière de ma tête, comme lorsque j'étais enfant. Un baiser rose qui a laissé une marque grasse sur ma peau. Pendant un instant, je l'ai détestée avec une force insoupçonnée, comme si son départ me laissait orpheline.

Ses mots me sont revenus en tête : « Je ne peux pas. »

J'ai été tentée de courir dans l'escalier, de la rattraper pour exiger des explications, de la secouer comme un cocotier. Mais je n'y suis pas arrivée. Pendant un instant, j'ai cru que je ne pourrais plus jamais bouger de ma vie. Statufiée.

# Jour de pluie

Les dimanches, je travaillais dans un cinéma appartenant au père de mon amie Esther.

Encore sonnée par le départ subit de Solange, je me suis dirigée vers la porte de l'appartement. Dehors, mon vélo m'attendait, le siège mouillé de pluie. Le printemps était anormalement orageux. Le ciel, électrique, se couvrait à tout instant, se lézardait d'éclairs colériques. Entre deux averses, une lumière évanescente s'immisçait à travers les traînées blanches des nuages.

Jetant un coup d'œil au ciel incertain, j'ai enfourché mon vélo et je me suis élancée, pédalant à toute vitesse pour me fouetter le sang et pour éloigner la peur.

La journée a passé avec lenteur, dans une répétition de gestes familiers : sourire, appuyer sur les touches de la caisse, imprimer le billet, remettre le billet, baragouiner une formule de politesse, préparer le pop-corn, pop, pop, pop ! L'odeur du beurre chaud, odorant, qui me donnait faim.

Les temps morts entre les films ont bien failli m'achever. Et le bavardage d'Esther.

— Alors, tu t'es décidée, pour le bal ?

J'ai haussé les épaules.

— Paraît que Clémence va y aller à moitié nue, dans une robe transparente. Elle veut vraiment provoquer le directeur. J'avoue que là, je l'admire un peu, même si elle est complètement folle, m'a dit mon amie en se balançant d'un pied sur l'autre.

— Je pense que je n'irai pas, ai-je répondu distraitement en changeant le rouleau de la caisse.

Le concept même de bal m'horripilait. Cela me rappelait l'univers de mes tantes. Je voulais seulement terminer mon secondaire et aller rejoindre le fleuve.

— Tu es sûre que tout va bien ? m'a demandé Esther. Tu as l'air bizarre.

Elle avait sûrement raison.

## Liverpool

Une tasse de thé fumante m'attendait chez Luce à la fin de la journée.

— Et puis, comment ça s'est passé au travail ? m'a-t-elle demandé en m'embrassant sur les joues.

— C'était long, je n'en pouvais plus d'être là.

J'ai posé mes affaires sur la table de la cuisine et je me suis retournée vers elle, incapable d'attendre plus longtemps :

— Alors, tu m'expliques ce qui se passe avec ma mère ?

— Elle est venue me voir avant son départ...

Je n'en revenais pas. À moi, elle ne disait rien, mais elle payait une visite à Luce !

— Elle voulait me confier la lettre de Mary Ellen Keats.

— La lettre ? Tu l'as lue ?

Elle a fait non de la tête : « Je t'attendais. »

Elle a saisi l'enveloppe qui était posée sur le comptoir et me l'a tendue. Le papier était déjà froissé, à cause des manipulations nerveuses de Solange, sans doute.

— Prends le temps qu'il te faut, a-t-elle dit doucement. Capucine ?

— Oui ?

— Je t'aime, ma puce.

Je suis sortie seule sur le balcon. L'air, après la pluie, était tiède, velouté. Une brise de mai. À l'intérieur de la première enveloppe, il y en avait une deuxième. Un timbre de l'Angleterre, une adresse de Liverpool. Comme un jeu de poupées russes.

Une lettre en anglais d'allure protocolaire rédigée à l'ordinateur, avec les coordonnées de l'expéditeur en haut à gauche. Soudain, j'ai eu peur. Une peur irraisonnée, intangible qui m'a saisie au ventre où, d'instinct, j'ai posé une main.

*Peter Monroe*
*63 Skipton Road*
*Liverpool, England*

*Madame Pellerin,*
*Je suis un travailleur social spécialisé dans les démarches d'adoption. J'ai été mandaté par Joy Piper pour établir un premier contact avec vous.*
*Joy est née le 21 novembre 1971 à l'hôpital de Liverpool. Elle a été donnée en adoption quelques jours plus tard. Vos coordonnées ont été conservées dans les dossiers des services d'adoption.*
*Joy souhaite que vous sachiez qu'elle n'a manqué de rien.*

*Elle a été adoptée par une famille qu'elle aime profondément. Elle espère cependant retrouver votre trace et, peut-être, en apprendre davantage sur son histoire personnelle. La procédure habituelle est de passer par moi pour amorcer la correspondance. N'hésitez surtout pas à me contacter. Je suis à votre entière disposition pour répondre à toutes vos questions.*

*Cordialement,*

*Peter Monroe*

Suivaient une adresse courriel et un numéro de téléphone.

J'ai relu la lettre plusieurs fois. Son sens m'échappait. J'ai fait des calculs. Quel âge avait ma mère en 1971 ? Elle était jeune. Très jeune.

Et pourquoi Liverpool ? Une ville qui n'avait jamais fait partie de la trame familiale. Il est vrai que l'anglais de Solange était modulé, différent de celui de ses sœurs. Un anglais aux sonorités britanniques, ai-je réalisé. Les questions m'ont assaillie comme un millier d'hommes sur un champ de bataille. Qui savait ? Les sœurs Pellerin ? Était-ce donc ça qui les unissait ? Comment ma mère avait-elle pu taire l'existence d'un autre enfant ? Comment avait-elle pu vivre toutes ces années sans jamais rien dire ?

J'en tremblais. Tout ce temps sans savoir, sans me douter qu'une sœur m'avait précédée. Née, comme moi, au cœur de novembre, ce mois morne et froid, le pire d'entre tous. Il fallait le faire, quand même ! J'avais une sœur, une aînée à qui je ressemblais peut-être. J'ai eu envie de plonger au fond d'un lac.

— Capucine ? a appelé la voix fébrile de ma grand-mère. Tu vas bien ?

Joy Piper. Capucine Leclerc.

Elle à Liverpool. Et moi ici.

Je suis rentrée. Luce m'attendait, assise, le dos bien droit, sur sa chaise en bois. Je lui ai remis la lettre sans rien dire.

Elle a posé sur son nez ses lunettes de lecture, qu'elle gardait attachées à une cordelette torsadée autour de son cou, pour ensuite déplier la lettre avec un calme apparent. Ses yeux ont parcouru la page en entier, ils y sont restés suspendus. Une larme ronde a roulé sur sa joue plissée et est tombée sur le papier. Elle m'a soudain paru plus vieille. Je la voyais respirer avec précaution, perdue loin d'ici, dans un passé dont j'ignorais apparemment tout.

Une expression douce estompait le regard de Luce, comme une consolation. Quelque chose a voyagé entre nous, quelque chose qui se passait de mots. Alors, nous sommes restées là, attentives aux secondes qui s'égrainaient au rythme du tic-tac de l'horloge grand-père, sachant toutes deux qu'il y aurait dorénavant un avant et un après.

Ma grand-mère s'est donné une poussée pour faire reculer sa chaise. Elle s'est dirigée vers le cabinet du salon d'où elle a sorti une carafe en verre à demi remplie d'un liquide ambré.

— Un petit verre d'armagnac, a-t-elle dit en guise d'explication.

Elle nous a servi à chacune une bonne rasade. Ma grand-mère ne buvait pas souvent, mais elle savait tenir l'alcool. Nos verres ont tinté, et nous avons bu en nous fixant du regard, conjurant le mauvais sort. L'alcool m'a réchauffé instantanément la poitrine.

— Il y a longtemps que j'attends le moment de te raconter cette histoire. Je l'ai si souvent répétée pour moi-même… L'exercice devrait être simple, et pourtant, maintenant que tu es assise devant moi, je ne sais plus par quel bout commencer…

# Solange et Armand

« La famille de ta mère faisait partie de la petite bourgeoisie de Georgeville. Nous, c'était autre chose. Tu le sais, je suis devenue veuve à vingt-cinq ans, j'ai élevé Armand toute seule… Notre vie n'avait rien en commun avec celle des Keats.

Je m'en sortais plutôt bien. Armand était un enfant facile, plutôt solitaire. Il aimait traîner dans les bois, il connaissait toutes les essences d'arbres. Au printemps, il retrouvait le lac. Il pratiquait son crawl sans relâche, de mai à octobre, insensible au froid. Comme un amphibien.

Armand avait presque le même âge que ta mère, à une année près. Ils se croisaient au parc, à la plage, aux fêtes annuelles, mais c'est seulement à l'adolescence qu'ils ont commencé à se côtoyer. Ils ont pris l'habitude d'aller voir des films au Capitole, sur la rue Principale.

Je me souviens de Solange à cette époque, de sa chevelure blonde et compacte qu'elle peignait en queue de cheval bondissante. Elle portait des boucles d'oreilles rouges en forme de losanges. Elle était longue et effilée, elle avait des hanches de rien du tout et elle rougissait comme une pivoine chaque fois qu'elle m'adressait la parole. Mais déjà, elle parlait vite et beaucoup !

Je voyais bien que Solange et Armand étaient amoureux, mais je ne m'en suis pas méfiée, croyant qu'ils devaient s'embrasser dans le noir, se prendre la main, s'enlacer, sans plus. J'aurais dû être plus attentive, me rappeler que l'amour peut voyager vite à seize ans. Mais, encore là, l'époque était différente, plus lente. Du moins, c'est ce que je pensais.

Et puis, un jour de printemps, le 7 avril 1970, je ne l'oublierai jamais, ta grand-mère Isabella est venue défoncer ma porte pour m'apprendre que ta mère était enceinte d'Armand. Vêtue d'un tailleur rose, elle avait l'allure des représentantes de produits Avon qui circulaient à l'époque, mais sans le sourire affable.

La portée de la nouvelle et la violence mal contenue de ta grand-mère m'ont estomaquée.

Elle m'a annoncé que Solange partirait le jour même pour l'Angleterre, où une institution prendrait en charge son accouchement, puis l'adoption du bébé.

Je n'en revenais pas qu'elle puisse faire une chose pareille, envoyer son enfant accoucher à l'autre bout du monde.

Elle m'a dit qu'elle voulait éviter les commérages et que mon fils avait intérêt à tenir sa langue.

Je bouillais. Je lui ai demandé si elle s'attendait à ce

que je l'expatrie, lui aussi, afin d'épargner la très sainte population de Magog.

Elle n'a pas daigné me répondre. Elle m'a tourné le dos et est partie en faisant claquer la porte. J'ai entendu les pneus de sa voiture crisser sur l'asphalte. Pour quelqu'un qui ne voulait pas susciter les ragots, elle s'y prenait bien mal.

J'ai longtemps regretté ma réaction, mon inaptitude à défendre Armand et à protéger Solange, à influencer la décision d'Isabella. C'est plus tard seulement, dans la solitude de ma maison de campagne, que me sont venues les répliques que j'aurais dû lui jeter au visage. Aujourd'hui encore, il m'arrive de rejouer la scène et de lui servir en pensée des phrases assassines. C'est pour te dire ! »

Je n'ai pas pu m'empêcher de l'interrompre :

— Mon père n'a rien fait ?

Elle a baissé les yeux en esquissant un sourire triste.

— Il était avec Solange quand elle a annoncé la nouvelle à sa mère. Il pensait qu'Isabella les aiderait... mais à partir du moment où elle a pris les choses en mains, Armand a été complètement écarté.

— Il aurait pu t'en parler.

Luce a haussé les épaules.

Après nous avoir servi une deuxième lampée d'armagnac, elle a poursuivi :

« À l'époque, la tante de ta mère, Mary Ellen, étudiait à l'université de Liverpool. C'est elle qui a trouvé la maternité St. Teresa, un endroit qui accueillait les filles-mères.

Solange s'est discrètement envolée vers Liverpool, le ventre encore plat. Je me souviens d'avoir pensé à ses hanches étroites et au bébé qui allait grandir, écarter les os pour se faire une place, étirer la peau. Elle était si jeune…

Deux mois se sont écoulés avant que le postier ne livre la première lettre de ta mère. Ça a ramené ton père à la vie. Il m'a rejointe dans ma chambre pour me la montrer. Comme je l'ai aimé pour ça !

Solange parlait de son ventre qui s'arrondissait et du bébé. Une fille, écrivait-elle avec certitude, même si elle n'en savait encore rien. Pour passer le temps, elle tricotait. Des chaussons, un bonnet, une veste. Sur la maternité St. Teresa, elle avait peu de choses à dire, sinon qu'il y avait un beau jardin. Il y avait d'autres filles dans la même situation qu'elle, mais leur accent prononcé compliquait les conversations.

Ensuite, les lettres sont arrivées de façon régulière. Ton père ne me les lisait pas toutes, mais je voyais son humeur s'améliorer. Ta mère était là, partout, tout le temps, mais on n'en parlait jamais. On s'exerçait à faire comme d'habitude, sans être tout à fait nous-mêmes. Armand passait des heures assis à la fenêtre, le regard perdu dans le paysage.

Je suis allée aux Promenades King acheter un tourne-disques neuf sur lequel on écoutait les 45 tours des

Beatles. *Penny Lane* et *Strawberry Fields Forever.* On cherchait à remplir la maison de n'importe quoi qui venait de là-bas. Les Beatles étaient notre lien avec Liverpool. C'est bête, quand on y pense…

Une tension s'est installée dans la maison à mesure que novembre approchait, même si la date de l'accouchement reposait sur des calculs approximatifs. Je n'osais pas questionner ton père à ce sujet. On ruminait en silence, tous les deux, dans le gris maussade qui précède les premières chutes de neige.

Une lettre est enfin arrivée, le 29 novembre 1971, en même temps qu'une grosse tempête de neige. Celle-là, je l'ai lue. C'est ce que voulait ton père : que je sache moi aussi.

Il y avait des taches d'encre bleue sur le papier. Ça m'a fait pleurer. Ne pas savoir si les larmes étaient celles de ta mère ou celles de ton père m'emplissait d'un profond chagrin. L'accouchement s'était déroulé sans heurts, écrivait Solange. Comme elle l'avait prédit, l'enfant était bien une fille. Une fée rose et fine, recouverte d'un duvet blond. Ta mère l'a appelée Félize. Un nom impossible à prononcer pour les Anglais. Elle est donc devenue Felicia sur son acte de naissance.

Il y avait dans les mots de ta mère un élan que je ne lui connaissais pas, comme une force tranquille. Le doute n'était pas permis. La petite Félize trouverait une famille heureuse. Elle était chanceuse, après tout, d'être née sur le Vieux Continent, loin de Magog.

Solange et Félize ont passé quelques heures ensemble avant d'être séparées. J'ignore encore ce qui s'est produit durant ce temps…

Des tas de questions me hantaient. Ta mère avait-elle eu quelqu'un auprès d'elle pendant l'accouchement ? Lui avait-on tenu la main ? L'avait-on consolée, rassurée ? Avait-elle souffert ? Combien de temps le travail avait-il duré ? Ses seins s'étaient-ils engorgés ? Où était allé tout son lait ?

La lettre de Solange avait éveillé en moi les souvenirs de la naissance de ton père. La douleur engourdie par les vapeurs qu'on nous faisait respirer à l'époque, puis la rencontre avec mon enfant, l'étonnement de ressentir cet amour absolu qui me liait à lui. Il en est allé autrement de la naissance de ta sœur.

J'y ai tellement pensé que j'en ai eu mal au ventre. Je pouvais voir Félize s'éloigner dans des bras inconnus. Il n'y avait aucune photo de ta mère enceinte, encore moins du bébé. Il fallait faire comme si la grossesse n'avait jamais eu lieu. S'efforcer d'oublier. S'efforcer de se taire.

Pas une seule fois je n'ai croisé Isabella au cours de cette année d'attente. Cette année perdue.

Ensuite, ce fut presque pire, parce que Solange s'est évanouie dans la nature. Après l'accouchement, Mary l'a emmenée en Espagne. Des « vacances » imposées pour lui permettre de perdre les kilos qu'il lui restait de sa grossesse, pour rendre crédible l'histoire d'une année d'études en Angleterre.

Elle a terminé son secondaire à Saint-Bruno, un endroit où personne ne la connaissait. Puis, elle a fait son cours d'esthéticienne à Montréal. Une autre bonne idée d'Isabella !

Armand, lui, a entrepris un baccalauréat en sciences politiques. Il logeait dans une résidence universitaire. On se voyait peu. Il s'éloignait.

Avec la distance et le temps, on a réussi à faire à peu près comme si rien ne s'était passé, à faire semblant d'oublier. Mais sache, Capucine, qu'on ne peut jamais effacer le passé. »

## Skipton Road

Luce avait la bouche sèche. Elle a bu sa tisane refroidie d'un trait avant de se resservir un doigt d'armagnac. Moi, j'étais triste sans trop savoir pourquoi.

Je n'avais pas envie que le récit prenne fin. Pas encore.

Et après, que s'est-il passé ? Comment mes parents ont-ils fait pour se retrouver ?

Elle a recommencé tout doucement à évoquer le passé. Cela semblait lui faire du bien de pouvoir enfin le raconter sans l'escamoter.

« Quelques années plus tard, les parents de ta mère sont morts tragiquement. Un gros accident de voiture par un soir de tempête de neige.

Quand j'ai lu la nouvelle dans le journal, ça m'a fait un choc. Il y avait des années que je n'avais pas revu ta mère. J'ai décidé d'aller aux funérailles.

En entrant dans l'église, j'ai reconnu tout de suite les quatre têtes blondes des sœurs Pellerin, dans la première rangée. J'ai attendu la fin de l'oraison pour m'approcher discrètement. Solange avait vieilli, elle n'était plus une petite fille. Ses mains tremblaient quand je les ai serrées dans les miennes.

Évidemment, le moment était mal choisi pour des retrouvailles. Je lui ai laissé un papier avec mon nouveau numéro de téléphone, à Montréal. Je lui ai dit qu'elle devrait m'appeler, qu'on pourrait rattraper le temps perdu…

Quelques jours plus tard, j'ai reçu un appel de l'hôpital Notre-Dame. Solange y était hospitalisée. On l'avait trouvée en détresse aux abords du parc La Fontaine. »

J'ai sursauté.

— Comment ça, en détresse ? ai-je demandé.

— Elle a craqué… J'imagine que c'en était trop, a murmuré Luce avec une moue désolée.

Luce m'a caressé le dos pendant quelques secondes et m'a demandé si je voulais entendre la suite. « Oui, continue, s'il te plaît », ai-je répondu.

« Dans la poche de son pantalon, les infirmiers ont trouvé le papier que je lui avais laissé, avec mon numéro de téléphone. Ils m'ont contactée, et je suis venue sur-le-champ. J'aurais préféré ne pas voir ta mère dans cet état, mais j'étais soulagée qu'on m'ait contactée, moi, plutôt qu'une de ses sœurs.

Assise dans son lit d'hôpital, Solange avait de grands cernes bleuâtres sous les yeux. Elle avait l'air exténuée. J'ai tout de suite remarqué la croix autour de son cou, celle qui avait appartenu à Isabella.

Au fond, je ne la connaissais presque pas… mais je

partageais son secret. Le fait d'avoir tellement pensé à elle créait forcément entre nous une certaine intimité.

Elle s'est confiée à moi, m'a tout raconté d'un trait, comme si elle n'avait attendu que ça. J'ai été frappée par sa solitude. À Montréal, au fil des années, elle s'était peu mêlée aux autres. Elle avait honte, je suppose.

Dès qu'il a su qu'elle était à l'hôpital, ton père est venu la rejoindre. C'est comme ça qu'ils se sont retrouvés. Par la suite, il ne l'a plus quittée.

Ils se sont mariés. Solange s'est mise à parler de plus belle. Sans arrêt. De tout et de rien. Elle rattrapait le temps perdu. Elle était très nerveuse. Je pense que c'est à ce moment-là qu'elle a commencé à prendre des cachets, des trucs pour dormir, des calmants. »

J'ai écarquillé les yeux en me demandant si elle en prenait encore, des cachets. Si elle en avait pris toute sa vie. Comment avait-elle pu me le cacher ? Ça se voit, pourtant, une personne qui gobe des pilules tous les jours. Au moins autant que les couches superposées de fond de teint.

« Armand et elle ont tenté de repartir à zéro. Solange est tombée enceinte à nouveau, sans que personne n'ose s'en mêler cette fois. Ta mère, qui avait toujours les hanches aussi étroites, a développé des courbes. La croix autour de son cou semblait minuscule, nichée en hauteur. Tu prenais toute la place en elle, et Solange, elle, occupait l'espace sans honte. Elle était imposante. Même sa voix a gagné en force.

Tu es née un soir de novembre, comme ta sœur Félize. Exactement dix ans plus tard. Tu avais un toupet roux semblable aux feuilles qui tapissaient le sol. Costaude, les épaules larges avalant le cou, la peau rouge vif, à croire qu'un incendie brûlait déjà en toi. »

Ma grand-mère m'a fait signe de l'attendre un instant. Elle est allée jusqu'à son secrétaire et en est revenue avec une photo de moi bébé qu'elle a tenue sous mes yeux.

« Regarde comme tu étais belle ! a-t-elle dit en souriant. Ta mère s'est étonnée de ta carrure et de ta tignasse rousse. Elle s'attendait peut-être à mettre au monde une deuxième fée au duvet blond. Mais elle n'y a jamais fait allusion.

Tes parents se sont repliés sur eux-mêmes, chacun de son côté. Les lignes verticales, osseuses, ont retrouvé leur naturel autour de la silhouette de ta mère. Elle a cessé de te donner le sein. Trop maigre.

Malheureusement, la relation d'Armand et de Solange n'a pas résisté au passage du temps. Les voyages de ton père ont servi d'excuse pour expliquer leur éloignement, puis leur séparation. La raison véritable était ailleurs, bien sûr. Une culpabilité non avouée, une jeunesse flouée, une tristesse enfouie, et tout le reste, toutes ces souffrances qu'eux seuls connaissaient. »

J'avais la gorge nouée et la tête qui tournait sous l'effet combiné du choc et de l'alcool ambré.

Ma grand-mère a ajouté : « Je suis allée deux fois en

Angleterre y chercher ta sœur, sans me l'avouer. Je sais où sont la maternité St. Teresa et la rue Skipton. »

Un sourire entendu a glissé sur son visage de vieille dame.

# Joy Piper

J'ai passé plusieurs jours chez Luce, soufflée, obnubilée par la perspective de cette sœur aînée surgie d'une lettre venue d'Angleterre. J'avais une sœur, alors que j'avais grandi seule parmi les blondes. Si j'avais su plus tôt, j'aurais fait des recherches pour la retrouver. Je serais allée avec ma grand-mère marcher sur Skipton Road.

Luce respectait mon état, entre le choc et l'émotion.

Entre deux cours, ou à l'heure du dîner, ou après l'école, je m'égarais dans les rayons des bibliothèques, cherchant des indices sur la vie de ma sœur en me documentant sur la ville où elle était née, une ville lointaine qui ne me semblait pas franchement attirante. J'imaginais des hippies portant des pantalons à pattes d'éléphant, des usines, des cargos ; des images de vieilles pochettes de disques qui traînaient à la librairie. J'écoutais *Penny Lane* et *Strawberry Fields Forever*. Comme Luce l'avait fait avec mon père en 1971.

Des questions surgissaient, dans le désordre. Luce faisait son possible pour y répondre avec franchise, ses souvenirs se déliant un à un.

— Mes tantes, elles savaient, pour ma sœur ?

— Bien sûr qu'elles savaient. Elles ont joué le jeu, voilà tout, a-t-elle répondu avec dureté.

L'instinct protecteur de ma grand-mère ne s'étendait pas aux autres sœurs Pellerin. Par contre, elle jouait encore au chien de garde avec Solange. Le soir, je l'entendais parler avec elle en sourdine au téléphone et je savais qu'elle prenait soin de la rassurer.

— Et mon père, dans tout ça ? lui ai-je demandé un matin, encore incapable de bien comprendre son rôle.

C'était plus fort que moi : il ne cadrait pas. Je n'arrivais pas à imaginer mon père en train de vivre une histoire comme celle-là, un véritable drame sentimental qui s'était étiré sur plusieurs années.

— Un jour, il faudrait que tu lui en parles, ma puce. Je ne sais pas tout.

En fait, il aurait fallu interroger tout le monde, les Keats et les Pellerin, tous ceux qui avaient entretenu le secret avec tant d'acharnement. Au fil du temps, leurs mensonges s'étaient emmêlés comme des milliers de fils.

Et pourtant, pas si loin de nous tous, il y avait Joy Piper, qui existait bel et bien. Malgré eux.

# Correspondances

Depuis une semaine, j'avais une sœur. Le savoir ne suffisait pas, je devais agir. La décision de lui écrire s'est imposée à moi par un dimanche pluvieux de mai.

Le meilleur endroit où envoyer des courriels, c'était chez mon père. D'abord parce qu'il était au Rwanda, et ensuite parce qu'il venait d'acquérir un iMac de couleur bleu indigo.

Le condo était silencieux. J'ai ouvert la fenêtre du bureau pour changer l'air.

J'ai enfoncé le bouton pour mettre l'ordinateur en marche. Rapidement, l'écran s'est allumé, les icônes sont apparues. Je me suis connectée à Internet, puis j'ai ouvert ma boîte courriel.

Je devais d'abord contacter le travailleur social. Je lui ai écrit en lui expliquant brièvement qui j'étais, en quelques phrases succinctes :

*Mon nom est Capucine Leclerc, je suis née le 10 novembre 1981, à Montréal. Mes parents s'appellent Solange*

*Pellerin et Armand Leclerc. Ils sont séparés. Joy Piper est ma sœur biologique.*

Difficile de m'avancer au-delà de ces simples faits. J'ai parlé du choc d'apprendre l'existence de Joy et de mon désir de la connaître.

Il était 16 h en Angleterre. J'avais des raisons d'espérer une réponse. Je suis restée assise un moment devant l'écran. Le bureau de mon père était ordonné. On y trouvait des boîtiers distincts identifiés « CD » et « disquettes », une bibliothèque très haute et un classeur fermé à clé. Aucun objet personnel.

J'ai feuilleté un livre sur l'aide internationale.

Quinze minutes plus tard, une réponse apparaissait à l'écran. Le travailleur social avait une question lui aussi : *Qu'en est-il de vos parents ?*

J'ai repris la phrase laconique de ma mère : *Ils ne peuvent pas.*

J'ai poireauté encore une heure devant l'écran avant de me résigner à partir.

Au cinéma, où je travaillais ce jour-là, les gens faisaient la file jusqu'au coin de la rue. Au moins, ça m'a occupé l'esprit.

Lundi matin, à l'école, je me suis ruée dans la salle des ordinateurs. Les appareils beiges étaient d'une lenteur accablante. Une disquette oubliée m'a obligée à faire redémarrer l'ordinateur en pestant. Enfin, dans ma boîte courriel, j'ai trouvé un message de Joy : *Allô.*

Ma main était scotchée à la souris de l'ordinateur. J'ai

parcouru le message avec un empressement fébrile. J'ai dû m'y reprendre à deux fois pour bien saisir ce que je lisais.

Les mots de ma sœur étaient prudents mais enthousiastes, et ils m'invitaient à poursuivre notre correspondance. D'emblée, elle écrivait qu'elle ne s'était jamais préparée à la possibilité de retrouver une sœur « biologique », avec le même père et la même mère. C'était inespéré. Exactement comme me l'avait dit Luce. Le travailleur social l'avait mise en garde, son cas présentait des obstacles particuliers ; et voilà qu'elle tombait sur moi. *Quelle chance !* écrivait-elle. J'ai souri.

Aucune question sur ma mère.

Pendant mes cours de l'après-midi, j'ai tenté de composer une réponse. Mes cahiers étaient remplis de ratures, d'idées désordonnées, de mots en anglais. J'avais surtout envie de la connaître. Pourtant, il fallait bien parler de moi…

De retour dans la salle des ordinateurs, je me suis assise devant un écran qui semblait me narguer. « Tu procrastines », m'aurait dit Luce. J'ai recopié quelques phrases semi-potables. J'ai parlé des examens de fin d'année qui m'attendaient, de mon déménagement à La Pocatière, de mon rêve d'étudier les mammifères marins et de mon travail au cinéma. Ça a donné un message décousu, comme moi finalement. J'ai appuyé sur le bouton « envoyer » en me mordant les lèvres. Et si elle décidait de couper court à tout ça ?

## *All my love to you*

Je m'étais installée chez Luce. Cela n'avait rien d'inhabituel. Un accord tacite entre ma grand-mère et ma mère me permettait d'habiter chez l'une ou chez l'autre à ma guise.

Nous avons passé la soirée à parler de Joy.

Mardi midi, j'étais de retour dans la salle des ordinateurs. Joy m'avait répondu. Se sont ainsi amorcés une série d'échanges attentionnés entre elle et moi, qui allaient rythmer ce printemps 1998. Des messages prudents, sans questions pièges, de peur de faire reculer l'autre.

Le français de Joy était précis, avec des mots tirés du dictionnaire. Mais elle signait : *All my love to you.* J'entendais les Beatles chanter : « *And then while I'm away, I'll write home everyday and I'll send all my loving to you.* »

Elle trouvait que j'avais un joli prénom. « *Capucine* », *comme la fleur ? Je ne connais aucune autre Capucine ! Probablement parce que c'est trop difficile à prononcer en anglais. Mais j'y arrive !*

Elle m'a parlé de sa vie. Elle habitait sur l'île de Jersey, un endroit qui m'était totalement inconnu. Elle était mariée à un homme du nom de Tom Piper et mère d'une petite fille prénommée Lily, âgée de quatre ans.

Elle enseignait l'éducation physique dans une école primaire et était une véritable fan de hockey : *Quand j'étais plus jeune, j'ai joué* midfielder *pour le Liverpool Sefton.*

Une athlète. Je n'ai pas pu m'empêcher de penser qu'elle avait eu de la chance d'échapper à la dictature à paillettes des Pellerin.

Je lui ai parlé de mes entraînements de natation, de ma technique de crawl que je tentais de perfectionner. Elle aussi, elle nageait régulièrement. Nous avions déjà des points communs. Je me suis demandé si nous nous ressemblions.

Petit à petit, elle a abordé des sujets plus sensibles. Ses parents s'appelaient Paul et Dorothy Jones. Ils l'avaient adoptée quand elle avait trois mois. Son père était médecin et catholique. Elle avait un frère, adopté lui aussi. Puis, coup sur coup, deux sœurs étaient nées, trompant le diagnostic d'infertilité qui avait dirigé ses parents vers les services d'adoption.

De mon côté, la question de la famille était minée. En choisissant bien mes mots, j'ai expliqué que mes parents étaient séparés depuis que j'étais toute petite, espérant ainsi lui faire comprendre que, de mon côté aussi, il y avait eu quelques écueils. Un père diplomate que je voyais peu, une mère esthéticienne.

Mon message l'a incitée à se confier davantage.

*J'ai toujours su que j'avais été adoptée. Mes parents n'auraient pas pu me le cacher. Ça se voyait ! Les Jones sont bâtis comme des armoires à glace. Mon père mesure presque 7 pieds ! Moi, je fais à peine 5 pieds et 4 pouces. J'ai dû m'habituer aux questions indiscrètes. Les gens me prenaient soit pour une cousine éloignée, soit pour une amie en visite. Heureusement, mon frère est petit, comme moi.*

Ce jour-là, j'ai quitté l'école sans répondre, en roulant mollement sur mon vélo. Je me voyais mal parler des choix de mes parents.

Le lendemain, j'ai envoyé un message détourné dans lequel je lui parlais de ma taille : exactement la même que la sienne !

Joy n'a pas insisté.

En attendant le moment propice pour aborder les questions délicates, elle me parlait de la mer. Côtoyer les eaux froides de la Manche, ce paysage en mouvement, l'avait changée, écrivait-elle.

Luce m'a montré sur une carte ce petit bout de terre au milieu de la Manche où s'était autrefois réfugié Victor Hugo.

En rigolant, ma grand-mère s'exerçait à prononcer les noms du chapelet d'îles aux sonorités médiévales qui entouraient Jersey : Sercq, Guernesey, Lihou, Herm…

# Les photos

Joy m'a bientôt proposé d'échanger des photos. Je lui ai donné l'adresse postale de Luce.

J'ai dû faire un saut chez Solange pour trouver une photo récente de moi. J'en ai choisi une autre sur laquelle j'étais bras dessus bras dessous avec Luce, avec le fleuve à l'arrière-plan. J'y tenais, à celle-là, pour ce qu'elle représentait et parce qu'il m'importait de présenter ma grand-mère à ma sœur.

Un peu comme Solange, j'ai commencé à surveiller le courrier. Le 8 juin, une enveloppe brune affranchie aux Channel Islands est enfin arrivée.

Joy m'avait envoyé plusieurs clichés la représentant à différents stades de sa vie, ainsi qu'une photo de sa fille. La petite était si blonde que ses cheveux paraissaient presque blancs. Luce a pleuré. Il y avait de quoi.

Joy n'était pas ma copie conforme, comme je l'avais naïvement imaginé. Elle était cependant la fille de mes parents, bien plus que moi d'ailleurs.

Chez moi, il fallait chercher longtemps les traits communs. La texture des cheveux était ce qui me rapprochait le plus de ma mère, la forme des sourcils, de mon père, alors que ma sœur était une sorte de « copier-coller » des deux. On ne pouvait pas s'y tromper. La séparation se faisait à l'horizontale, à la hauteur du nez. Le haut du visage, c'était mon père – le nez y compris, la pauvre. C'est ce qu'on remarquait le plus, d'ailleurs : ce nez volumineux qui occupait encore plus d'espace sur un visage féminin, délicat par ailleurs.

En observant la forme de ses yeux, j'ai vu pour la toute première fois la ressemblance entre mon père et ma grand-mère.

Le bas du visage, c'était ma mère. Même mâchoire, même sourire. Les lèvres fines et longues, tracées à la perfection. Tout y était.

— On dirait que vous avez les yeux de la même couleur, a dit Luce avec émotion.

— Possible. On ne voit pas bien avec les lunettes. Penses-tu qu'elle est myope, comme moi ?

C'était passer à côté de l'essentiel : sa chevelure couleur brasier, lourde et dense, qui s'entortillait dans les pointes, était identique à la mienne. Joy n'était pas devenue une blonde comme le reste des filles Pellerin. Le duvet blond de la naissance avait dupé ma mère.

— Une autre rouquine ! s'est exclamée Luce.

Je me perdais dans ces photos où je retrouvais les membres de ma famille. J'avais la certitude que cette fille-là, cette étrangère qui habitait Jersey et parlait anglais, était ma famille. Aller vers elle était aussi impératif, pour moi, que mon besoin de m'éloigner de mes parents. Et je me disais que Joy recherchait certainement l'inverse, se rapprocher d'eux à travers moi.

J'aurais pu aller épingler des photos de Joy chez Armand et chez Solange, juste pour jeter de l'huile sur le feu, mais ce soir-là, en me couchant, j'ai plutôt rangé l'enveloppe avec soin et éteint la lumière comme on souffle une chandelle, en retenant mes pulsions pyromanes.

# L'invitation

Le message suivant de Joy m'a prise par surprise. Il contenait une invitation. Elle ne travaillait pas l'été, et son île était belle en juillet. *Pourquoi tu ne viendrais pas ?* écrivait-elle.

J'ai brûlé plusieurs feux rouges à vélo. En entrant en trombe dans la librairie, j'ai crié le nom de Luce.

— Elle veut que j'aille la voir, ai-je déballé, affolée.

— Vas-y, m'a-t-elle dit, du feu dans les yeux.

— Tu penses ?

Son œil a brillé davantage : « Absolument. »

Il y avait tout de même un obstacle de taille.

— Il faudrait que…, ai-je commencé, incapable de terminer ma phrase.

— Oui, Capucine. Il va falloir que tu parles à Solange, a complété Luce avec une expression intraitable.

# L'autruche

Je n'avais presque pas vu Solange au cours des dernières semaines, échangeant à peine quelques mots avec elle les fois où j'étais allée récupérer des affaires.

Elle savait que je savais, et cela me pesait. Connaître son secret me permettait d'expliquer certains de ses travers, mais le vacarme sous lequel elle l'avait enterré était, à mes yeux, à la fois un mystère et une faute. Elle avait toujours été pour moi une personne irritante qui parlait sans réfléchir, mais je comprenais à présent que ce flot de paroles ne servait qu'à cacher ce qui importait : le fait qu'elle avait mis un enfant au monde dix ans avant de m'avoir, moi.

À la maison, rien ne semblait avoir bougé. Quand je suis entrée ce jour-là, une odeur d'antiseptique a piqué mes narines, une odeur de ménage saisonnier. Solange avait nettoyé la maison, épousseté les bibelots, fait briller les lattes de bois du plancher, lustré le cuir fatigué du divan. Malgré ses efforts, le malaise s'accrochait, flottant dans l'air comme une poussière récalcitrante.

— C'est toi, Capucine ? a crié ma mère depuis sa chambre.

— Oui ! ai-je répondu, stoïque.

Elle est venue me rejoindre à la cuisine. Il ne s'est rien produit d'inhabituel.

Elle a parlé de lavage.

— J'ai lavé tes draps, ils sèchent dehors. Pour une fois qu'on n'a pas de pluie, hein, ma belle ?

Je lui ai adressé un sourire de circonstance.

— Ah oui, Esther te cherche, a-t-elle ajouté en attrapant un chiffon pour essuyer la vaisselle. Elle fait dire de la rappeler au cinéma. Luce va bien ?

Le disque tournait.

À mon tour, j'ai fait comme si de rien n'était, reprenant mes habitudes dans l'appartement à la manière d'une automate pendant que ma mère s'affairait. Elle renversait les objets, s'exclamait, faisait claquer les portes, disparaissait. Notre stratégie commune était l'évitement.

En vérité, il émanait d'elle un tel sentiment de panique que je ne pouvais me résoudre à lui parler. Elle jouait à l'autruche, mais ressemblait plutôt à un oisillon tombé du nid. Elle faisait peine à voir, mais pas suffisamment pour faire taire la révolte qui grondait dans mon ventre.

Partir au plus vite. Fuir. Et rejoindre Joy. Il n'y avait que ça en moi. Un besoin viscéral. Quitte à blesser Solange.

## Le pont Narrows

Le dernier jour des examens, je me suis enfin décidée. Je n'avais plus de temps à perdre : Joy m'attendait.

Depuis deux semaines, je préparais secrètement mon départ. Il y avait un paquet de décisions à prendre, entre autres le choix de l'itinéraire. Se rendre à Jersey n'était pas simple. Des vols reliaient Londres à l'île, mais il fallait changer d'aéroport et attendre toute une journée. Je pouvais aussi passer par Paris, prendre le train, puis le traversier à Saint-Malo. Tous les moyens de transport y passaient. Mais d'abord et avant tout, j'avais besoin de l'accord de Solange. Et vite.

Sur le chemin du retour, j'ai fait exprès de prendre des détours pour rentrer chez moi.

Au moment de franchir la porte de l'appartement, j'étais gonflée à bloc.

Je suis allée rejoindre ma mère, qui était assise à la table de la cuisine. Elle terminait une omelette en feuilletant un magazine, anormalement calme.

— Solange, il faut que je te dise : je voudrais aller en

Angleterre cet été, ai-je annoncé d'un seul coup, comme on arrache un pansement.

Ma mère a refermé son magazine pour me faire face, presque avec soulagement.

— Je sais.

Elle était au courant. Luce avait comblé les silences entre ma mère et moi.

— Est-ce que tu me demandes la permission ? m'a-t-elle interrogée en gardant les yeux rivés sur moi.

Son expression était impossible à interpréter. J'ai bafouillé, m'enfargeant dans les oui et les non.

— C'est beau, Capucine, tu peux y aller. Je te comprends, tu sais, a-t-elle fini par dire, comme si elle s'y était résignée d'avance.

Ma mère s'est levée de table, a pris un verre dans l'armoire et l'a rempli au robinet.

— Tu en veux un ? a-t-elle demandé.

— Oui, s'il te plaît, ai-je répondu, déconcertée.

Me tendant le verre, Solange s'est rassise et m'a demandé quand et combien de temps je voulais partir.

J'ai dégluti péniblement.

— En fait, je pensais acheter un billet ouvert… mais je vais revenir à temps pour préparer mon déménagement.

Elle a acquiescé d'un hochement de tête.

J'ai osé enfoncer le clou, enhardie par son calme apparent et par un besoin soudain et dévorant de mieux la comprendre.

— Maman, si tu avais eu le choix, tu aurais fait quoi ?

Elle a accusé le coup sans ciller, sans baisser les yeux, sans se perdre en soupirs. Sans pleurer non plus. Sa réponse était prête, semblait-il.

— La même chose, probablement. C'est ce qu'on faisait dans mon temps. Mais bon, je ne serais peut-être pas allée en Angleterre... J'avais juste quinze ans, tu sais, je ne pouvais pas dire non à mes parents...

— Est-ce que tu leur en veux ? ai-je demandé, espérant qu'elle exprime une quelconque forme de colère, une émotion que je pourrais comprendre.

Elle est restée évasive.

— Ils sont morts maintenant. C'est du passé, tout ça.

Sous la table, la jambe de ma mère s'agitait nerveusement.

Dans ma tête, d'autres questions se bousculaient : « Oui, mais, Solange, pourquoi tu ne m'as jamais rien dit ? Tu n'as pas envie de savoir qui est ta fille ? Ça ne t'affecte pas ? Tu prends toujours des pilules ? »

Et celle-ci, enfouie au plus profond de moi et à laquelle il n'y aurait jamais de réponse : pourquoi elle et pas moi ? Est-ce qu'il n'y avait pas là une forme d'injustice ou, au contraire, est-ce que c'était elle, ma sœur d'Angleterre, qui avait eu de la chance ?

J'ai lâchement ravalé toutes mes questions, sans raison valable, sauf peut-être une fatigue écrasante.

Nous avons gardé le silence. Puis, elle m'a confié un souvenir. En mars 1970, mon père avait gravé leurs prénoms avec un canif dans les lattes de bois recouvrant le pont suspendu de Fitch Bay, près de Magog.

— Le pont Narrows, a-t-elle précisé.

Une ouverture sur le monde intérieur de ma mère. Ses yeux se sont voilés, j'y ai entrevu l'amour de ses quinze ans et j'ai compris qu'elle y croyait encore. Pas à ce qu'il était devenu, mais au souvenir de cet amour. J'y ai cru à mon tour.

Sans un mot, sans un regard, ma mère a posé sa main veinée et douce sur la mienne. J'ai senti une palpitation nous traverser et j'ai souhaité pouvoir garder cette empreinte chaude et rassurante pour oublier le reste, même un tout petit instant.

# Souleymane

Au travail, j'ai annoncé mon départ. Le père d'Esther m'a souhaité bonne chance. Il m'aimait bien.

J'avais la tête ailleurs, les nerfs en boule.

Le film de 21 h ne me faisait pas envie. C'était un drame sentimental brésilien sous-titré. J'aurais préféré un truc bête, avec plein de scènes d'action et de sensations fortes.

Un client de dernière minute a franchi la porte et m'a saluée. J'ai mis quelques secondes à le reconnaître. Un ancien de l'école.

— Souleymane. Tu te souviens de moi ?

— Euh… Oui, oui. Combien de billets ?

— Un seul.

Je lui ai rendu sa monnaie. Il en a profité pour effleurer mes doigts, un geste peu subtil sans être déplaisant. Il avait une peau noire de Sahélien qui craquelait aux jointures.

— Salle trois, au deuxième. Ça vient de commencer.

— Tu ne viens pas avec moi ?

— Pour quoi faire ?

— Pour m'aider à trouver une place dans le noir, a-t-il répondu, racoleur.

— La salle est vide !

— Justement !

Il a laissé passer quelques secondes, au cas où j'aurais eu envie de le suivre. Je lui ai tout de même adressé un sourire. Il m'a souri en retour, a fait trois pas en reculant avant de me tourner le dos.

J'ai tué le temps en faisant le tour des salles vides et en feuilletant les journaux oubliés. Le mois de juin m'avait filé entre les doigts. J'espérais seulement ne pas avoir bousillé ma fin d'année. J'avais aligné les examens du ministère dans un état second, une sorte de transe. Incapable d'étudier de façon sérieuse, j'avais misé sur mes réussites des autres étapes. Il ne restait plus qu'à attendre les résultats.

Quelques heures plus tard, la représentation se terminait enfin. Les derniers clients sortis, j'ai éteint les lumières avec émotion, quittant les lieux définitivement.

Souleymane m'attendait sur le trottoir d'en face. Le contact de sa main m'est revenu en tête.

— Je ne t'ai pas vu sortir de la salle, ai-je dit, étonnée.

C'était vrai.

— T'avais un drôle d'air tantôt, a-t-il répondu.

— Ah bon ? C'est pour ça que tu es là, parce que j'avais un « drôle d'air » ?

Il a sorti un paquet de cigarettes de sa poche et m'en a tendu une. J'ai refusé d'un geste de la tête.

— Je ne fume pas.

— C'est vrai, tu ne fumes pas, tu ne bois pas.

— D'habitude, non. Mais là, je prendrais bien un verre.

Des fois, je ne me comprenais pas moi-même.

Il m'a invitée chez des amis. J'ai dit oui.

Je me suis vidé la tête, tuant à doses de cheval la fille sage, la bibitte à lunettes et les secrets de mes parents. La bière était bonne, la musique jouait assez fort pour m'empêcher de penser. Les yeux de Souleymane ne me quittaient pas. J'avais chaud au ventre, des envies d'être touchée par lui. Ça valait cent fois mieux qu'un bal de fin d'année.

À la fin de la soirée, j'ai senti que Souleymane avait envie de me retenir.

— On pourrait se revoir ?

— Je prends l'avion demain soir, ai-je dit avec un demi-sourire, façon Joconde.

— Tu t'en vas où ?

— À Jersey, en Angleterre.

— Combien de temps ?

— Tout l'été.

Le dire m'a à nouveau donné le vertige. Après l'Angleterre, il y aurait La Pocatière. C'était foutu d'avance.

Il s'est contenté de me souhaiter bon voyage en m'embrassant sur la joue, la main en flottement à la hauteur de mes hanches. En arrière-plan, j'ai entendu Björk qui chantait *All Is Full of Love.* J'ai pensé aux robots blancs enlacés du clip.

Mon corps a répondu à l'appel. Je me suis collée à lui et je l'ai embrassé comme si je comblais une grande soif, mes mains agrippées à son t-shirt, le souffle court.

— Salut, Souleymane, ai-je glissé à voix basse en m'éloignant de lui.

Un nom qui résonnait comme une poésie peule.

## Une brèche

Cette nuit improbable m'avait reposé les nerfs. Assez pour que je garde mon calme lorsqu'au réveil ma mère s'est ruée sur moi.

— Je t'ai acheté un maillot ! a-t-elle lancé en me tendant un sac en plastique rayé. Je suis allée au magasin de Rosie, l'amie d'Emma. Tu sais, le petit magasin juste à côté du salon ? Elle est vraiment bonne, Rosie. Sans elle, je ne m'en sortais pas. On n'a pas pris de chance : il est noir, tout noir.

J'ai trouvé, enveloppé dans une feuille de papier de soie bleu, un deux-pièces sans fioritures.

— Il est parfait, Solange. Merci.

— Tu ne veux pas l'essayer ? Je peux encore l'échanger s'il ne te fait pas.

— Euh, oui, d'accord, ai-je répondu en me dirigeant vers la salle de bain.

Ma mère a continué de parler à travers la porte pendant que j'essayais le bikini :

— L'avantage avec le noir, c'est qu'on ne peut pas se tromper ! Un jour, il va quand même falloir que tu te décides à porter des couleurs. Imagine-toi un peu avec un maillot à motifs tropicaux. En tout cas, moi, à ta place, je laisserais faire le noir pour quelques années.

Je n'ai pas protesté. Avec le temps, j'étais devenue insensible à ce genre de commentaires.

— Et puis, il te fait ?

— Oui. Pas besoin de le ramener au magasin, je l'aime, ai-je répondu en ouvrant la porte après m'être rhabillée.

— Ben là ! Tu ne me le montres pas ? a-t-elle demandé.

Je la décevais de ne pas être le genre de fille à parader. Je l'ai à nouveau remerciée pour le cadeau, en espérant que ça suffirait à dissiper sa déception.

— As-tu fait ta valise ? m'a-t-elle demandé.

— Oui.

— Conseil d'esthéticienne : apporte une bouteille d'eau en vaporisateur, une crème hydratante et un baume à lèvres, ma chérie. Sept heures d'avion, ça fait des ravages, laisse-moi te le dire. Prends ce que tu veux dans ma trousse.

Cette manie de tourner autour du pot, de parler de tout et de rien pour éviter l'essentiel… Au bout d'une interminable série de questions, comme si je partais simplement en vacances à la mer, Solange a fini par se mouiller.

— Aide-moi à détacher ma chaîne, m'a-t-elle demandé en soulevant ses épais cheveux blonds.

La requête m'a surprise. Je n'avais jamais vu ma mère sans cette chaîne et son petit pendentif en forme de croix.

— C'est pour Félize.

Elle s'est tue un instant.

— Je sais qu'elle ne s'appelle plus comme ça, mais pour moi, c'est Félize. Elle sera toujours Félize...

Ma mère a lentement tracé le contour de son bijou du bout du doigt, l'a pressé contre son cœur quelques secondes et me l'a remis solennellement, comme s'il s'agissait d'une partie de son corps. Elle a dit :

— C'est allé trop vite... Avec toi, tout va toujours vite. Même bébé, tu voulais tout faire toute seule. Tu voulais t'éloigner. Tu n'as jamais rien voulu savoir de dormir avec moi, tu marchais à dix mois, tu courais presque, le feu aux fesses. Je t'appelais « ma bombe à retardement ». Tu vois, j'avais raison. Je te connais, ma Capucine. Plus que tu le penses.

Laissant passer une minute opaque, ma mère a ajouté :

— Félize a dû être un autre genre de bébé... Elle avait des mains minuscules, toutes fines...

La voix de ma mère s'étranglait, prise entre ses deux enfants, ses deux vies, emmêlée dans son secret désormais ébruité.

Ses yeux fixaient le plancher. Les miens aussi. La regarder m'apparaissait impudique. Je serrais la chaîne dans le creux de ma main.

— Viens, je vais te la mettre. Comme ça, tu ne la perdras pas.

J'aurais voulu dire non, mais j'avais la gorge trop sèche. La chaîne ne semblait pas à sa place entre mes clavicules, portant l'empreinte chaude de ma mère. Déjà, l'or me piquait la peau. Ma main, d'instinct, s'y promenait. J'allais reproduire les mêmes gestes que Solange. Je le savais et je n'aimais pas ça.

— Tu veux que je te fasse les ongles ? m'a proposé ma mère, changeant de registre comme on retourne un disque vinyle. Face B.

— D'accord.

L'air est redevenu respirable. Solange s'est levée d'un bond de gazelle pour aller chercher son matériel.

— Tu vas être contente, le noir, c'est *la* couleur de l'été. Regarde, tu as le choix entre noir anthracite ou noir aubergine, m'a-t-elle dit en me tendant deux bouteilles de vernis identiques.

— J'aimerais mieux un vernis translucide.

— Translucide, a-t-elle répété, machinalement. Pourquoi pas ivoire ou rose pâle ?

— OK pour ivoire.

Solange m'a pris la main, l'a lissée de sa paume satinée. D'un geste habitué, elle a limé mes ongles, soufflé pour disperser les résidus poudreux et passé le pinceau en partant des cuticules.

— Un seul trait, en appuyant bien large, sinon, ça fait des bosses et c'est laid.

Elle a activé un petit ventilateur portatif rose pour faire sécher le vernis et a décidé de fixer le tout avec une couche protectrice. Ça ressemblait à un prétexte pour prolonger le moment.

— Allez ! Je te fais les pieds, maintenant !

La manucure ramenait ma mère à son état naturel, jovial et loquace. Il n'était pas nécessaire de répliquer ni même d'écouter, je pouvais me contenter d'acquiescer de la tête. J'avais l'habitude. La cage thoracique de Solange se soulevait par petits coups secs pour faire entrer l'air sans qu'elle ait à s'interrompre.

La voir faire me donnait l'impression d'asphyxier. Pour compenser, j'inspirais en profondeur, élargissant les côtes, gonflant le ventre. Puis j'expirais longuement, silencieusement, pour ne pas attirer l'attention. Le souffle de la baleine.

Je songeais au contenu de mes bagages. Une chaîne en or, un maillot noir, du vernis en couches superposées. Voilà à quoi se résumait la contribution de ma mère aux retrouvailles avec ma sœur.

— Tu veux que je t'épile les sourcils, ma chérie ?

— Non !

Une fois seule, prise d'une impulsion violente, d'un besoin de répartir plus équitablement le poids de la situation, j'ai laissé un message sur le répondeur du bureau de mon père. Il allait être surpris, le diplomate, en entendant ça, au milieu des collines verdoyantes de Kigali. J'ai dit simplement : « Allô, papa. Je pars demain pour Jersey. Je vais rencontrer ma sœur. Elle s'appelle Joy Piper. »

Qu'il se débrouille avec le reste.

## Embarquement immédiat

À l'aéroport de Mirabel, après avoir repéré le numéro de la porte d'embarquement sur un panneau jaune, j'ai dit au revoir à Luce. Ma grand-mère gardait ses yeux céladon au fond des miens. Je les aimais, ces yeux vifs, occupés à traquer l'invisible. Elle savait écouter mes silences.

La croix ne lui avait pas échappé.

— Cadeau de Solange... pour Joy, ai-je pris soin de préciser.

J'ai ajouté qu'elle l'appelait toujours Félize. La mise à jour n'avait pas été faite dans son esprit.

Je partais comme une messagère, un genre de pigeon voyageur incapable de déchiffrer le sens de la missive qu'on lui avait confiée.

— Bon. J'y vais, ai-je dit avec un sourire mal assuré.

— Prends bien soin de toi, m'a-t-elle répondu en me renvoyant mon sourire.

Après une hésitation, elle a ajouté :

— Tu lui diras qu'on l'aime, qu'on a toujours pensé à elle. Qu'un jour, très bientôt, si elle veut, ce sera mon tour d'aller la voir. Et qu'elle est la bienvenue chez nous. Même si c'est compliqué. Tu vas lui dire tout ça ?

— Oui, je vais le lui dire. Ça et le reste aussi.

Elle a acquiescé. Puis, posant sur moi un regard indulgent :

— Enfin, tu fais comme tu le sens, tu fais ton possible. Et si ça ne va pas, tu reviens.

— Je sais. Ça va bien aller. Pas besoin de t'inquiéter pour moi.

Elle a souri à nouveau.

— Je ne m'inquiète pas, j'ai confiance en toi, a-t-elle dit en ajustant la sangle de mon sac à dos sur mon épaule. Allez ! C'est l'heure. Bon voyage, ma puce !

Je pouvais sentir son regard dans mon dos alors que je traversais la sécurité. Les portes coulissantes se sont refermées derrière moi.

# Aéroports

À travers le hublot, j'ai regardé les lumières scintillantes de la ville et le long zigzag du fleuve. J'étais coincée entre l'immensité du ciel et une femme qui me rappelait mes tantes et dont le parfum capiteux saturait l'air. J'ai éternué à répétition.

Deux mois plus tôt, j'ignorais que j'avais une sœur. J'étais fille unique. Et voilà que je m'envolais, seule, vers elle. La mesure du voyage se révélait graduellement, suivant le mouvement du décollage, comme un ballon se gonflant à l'intérieur de moi. Je quittais le pays. Enfin. Déjà.

J'ai ouvert le livre de Patti Smith que m'avait prêté Luce. « Pour l'avion, le train et le bateau ! » Au même moment, une photo a glissé sur mes genoux. On y voyait une version rajeunie de mes parents, main dans la main devant le cinéma de Magog. Ils étaient beaux. C'était bien avant leur mariage et avant ma naissance. À l'époque précédant Joy.

Ma mère portait un chemisier blanc à pois rouges, des pantalons courts qui dénudaient ses chevilles de gazelle et une paire de ballerines. Pas encore de talons hauts. Le rouge de son vernis à ongles s'agençait à celui de son chemisier. Coquette déjà, mais d'une manière insouciante, presque enfantine, avec comme seul maquillage une ligne noire à la Bardot tracée sur ses paupières. Et surtout, ce sourire candide. Une tête d'enfant sur un corps presque adulte.

Mon père, j'aurais pu le prendre pour un autre, un frère ou un cousin éloigné. Une carrure solide, des bras allongés, on devinait le nageur. Les cheveux d'un noir de jais étaient lustrés par le flash de la caméra. Il avait un regard assuré, presque rieur. Lui aussi affichait un sourire juvénile. Dans sa main libre, il tenait une cigarette à moitié consumée. Le diplomate sérieux n'était visible nulle part dans ce front lisse, exempt des rides que je lui connaissais. Des rides désormais si creuses qu'elles faisaient de l'ombre au reste.

Leurs visages d'aujourd'hui ne cadraient pas avec ce qu'ils avaient été.

Au dos de la photo, de son écriture dentelée, Luce avait écrit : *Magog, 13 septembre 1970.* Rien de plus.

J'ai laissé échapper un léger soupir. J'étais bien forcée d'admettre que le temps m'avait manqué. J'aurais dû en faire davantage pour me préparer à partir. Déterrer les photos de famille – je n'en avais apporté aucune —, faire un pèlerinage à Magog et dans les environs – à Georgeville, à Fitch Bay –, questionner la vieille Mary Ellen Keats, poser plus de questions à ma mère, faire un arbre généalogique… Ce genre de choses. Mais non, je n'avais rien fait du tout. J'arrivais dans la précipitation, comme on déboule un escalier, avec des trous et des silences pour répondre aux questions de Joy. Est-ce que ça suffirait ?

Je me suis réveillée à 5 h du matin, réalisant du même coup que j'avais dormi. J'ai ajusté ma montre à l'heure locale. Les œufs que m'a servis l'agent de bord avaient un goût de pellicule plastique. La femme parfumée avait perdu toute réserve, comme si le fait que nous ayons dormi côte à côte faisait de nous de vieilles amies.

— C'est ton premier voyage à Paris ? m'a-t-elle demandé d'un ton familier.

Mes oreilles se sont bouchées durant la descente. Je n'entendais plus rien.

J'ai été une des dernières passagères à quitter l'avion. En mettant le pied dans l'aéroport, je me suis fait la réflexion que je n'étais décidément pas une voyageuse née, comme mon père. Tout ce monde me donnait le tournis. Regards assurés, talons qui claquent, et le tacatac des valises à roulettes… Un homme à l'accent pointu m'a indiqué le chemin vers la sortie. Surtout, ne pas paniquer. Suivre le courant le long de corridors climatisés qui n'en finissaient plus. Franchir les douanes, récupérer ma valise, une vieille chose aux roues désarticulées qui freinait sans raison, et puis sortir.

De l'autre côté des portes vitrées, les retrouvailles se déroulaient dans un défilement rapide. Ignorant la foule, j'ai cherché des indications vers la gare.

— Capucine ! Capucine !

Cette voix grave, habituée à prononcer des discours. Adossé à une colonne, en retrait, se tenait mon père. J'ai cru mal voir. C'était la fatigue, sûrement. Mais non, cet homme cravaté au teint morne, c'était bien Armand.

— La tête que tu fais ! Tu n'es pas contente de me voir ? a-t-il dit.

— C'est que... je... Qu'est-ce que tu fais là ? ai-je bredouillé en reculant d'un pas, pour me donner de l'espace.

— Privilège de diplomate !

Il a lancé un rire nerveux. Avec sa raideur caractéristique, il s'est approché pour m'embrasser sur les joues. Il sentait l'eau de Cologne, les vêtements neufs et la cigarette. Cela m'a étonnée puisque mon père ne fumait plus depuis plusieurs années. Ses yeux se sont posés furtivement sur la croix en or avant de partir en vrille. Il a eu un battement rapide des cils, cherchant à chasser les images du passé. Le regard épileptique, à la recherche d'un endroit sûr, d'un point d'ancrage.

— La vérité s'il te plaît, ai-je dit pour le ramener.

Il s'est mis à éternuer, ce qui l'a obligé à piger dans sa réserve de mouchoirs. Le temps de se ressaisir.

— J'ai eu ton message... Ta mère m'a donné le numéro de ton vol. Le *timing* était bon. J'ai pensé en profiter pour venir te voir, prendre un café avec ma fille. J'ai bien le droit, non ?

— Prendre un café ? À l'aéroport de Paris ?

— Il faut que je sois à Bruxelles ce soir, Charles-de-Gaulle était presque sur mon chemin.

— Moi, j'ai un train à prendre dans trois heures.

Le dire m'a fait du bien. Aujourd'hui, c'est moi qui avais une destination à atteindre, c'est moi qui n'avais pas de temps pour *lui*.

Il nous restait tout de même trois heures à tuer. Trois heures ensemble. C'était beaucoup. La fatigue s'est abattue sur moi d'un coup. Je n'étais pas d'humeur à tourner autour du pot en cherchant comment parler ou éviter de parler de Joy.

Mon père a pris les devants, saisissant ma valise déglinguée qui, trop basse, l'obligeait à courber le dos. Avec son complet-veston, cette démarche lui donnait l'allure incongrue d'un manchot empereur bossu.

— Suis-moi, a-t-il lancé, sûr de lui.

Armand baignait dans son élément naturel, il savait exactement où aller. Concentré, il ne parlait pas, se contentant de me faire un demi-sourire quand nous devions nous arrêter. Un métro nous a permis de nous rendre au terminal 2. Une gare moderne, aux plafonds hauts, tout en angles et en colonnes, carrelage blanc, fenêtres mur à mur.

— Tu as ton billet de train avec toi ?

— Oui.

Sans me demander mon avis, il a mis le cap vers le guichet bancaire le plus proche pour retirer des euros et des *Jersey pounds*. Ses mains s'activaient rapidement sur le clavier. Je poireautais derrière lui en observant ce qu'il était en train de faire. Je ne lui avais rien demandé.

Il m'a tendu les billets de banque. En prenant l'argent des mains de mon père, je me suis sentie comme une petite fille. Mais j'étais trop fatiguée pour refuser.

— On a le temps pour un café. As-tu faim ?

Au milieu du va-et-vient de la gare, nous nous sommes assis à une table ronde, devant un croissant réfrigéré et un café au lait. Armand, encore une fois, avait oublié mon aversion pour la caféine.

— Tu commences le cégep en septembre ?

— Fin août.

— La Pocatière, hein ?

— Oui, ai-je répondu pour la forme tout en avalant une grosse gorgée.

Aussi bien en finir rapidement.

L'amertume du café m'a fait grimacer. Mon père regardait ailleurs.

— Bon. C'est bien. Comment va ta grand-mère ?

Il pataugeait. Je l'ai interrogé sur sa dernière destination. Centre-Afrique. Un désastre. Il m'a parlé du nombre de réfugiés, des différents cas de maladie infectieuse, de l'aide internationale, des factions armées, des rebelles soudanais et tchadiens, de leurs exactions, de l'argent injecté… C'était d'une telle tristesse, et pourtant, l'émotion était absente de sa voix habituée à réciter des rapports. Que des faits. Les humains disparaissaient derrière les statistiques.

Je l'ai interrompu :

— Tu veux que je te montre une photo d'elle ?

Il s'est contenté de me regarder dans les yeux avec dureté pendant que son corps se figeait. La respiration suspendue. J'avais visé juste. Merci au café pour le coup de fouet. J'avais peu d'espoir de tirer quelque chose de mon père. Si j'étais chanceuse, je pourrais peut-être entrevoir celui dont ma mère était tombée amoureuse à quinze ans ; constater, ne serait-ce qu'une minute, qu'un autre homme avait existé à l'intérieur de cette structure rigide.

— Aucun doute, elle a ton nez, ai-je ajouté, placide.

J'aimais bien jouer au bourreau.

Les rides autour des yeux de mon père se sont creusées, faisant ressortir son nez encore davantage. Quel nez ! Je me suis dit qu'il était en train de se raconter un gros mensonge.

— Je n'ai aucune intention d'aborder ce chapitre de ma vie avec toi, a-t-il décrété, cassant.

Une voix morte, une froideur résolue dans le bleu de ses yeux. Coup double. Refus verbal et refus du corps. C'était à mon tour de me taire alors que se bataillaient en moi l'envie de foncer dans le tas et celle de battre en retraite.

L'heure avançait.

— Il faudrait y aller si tu ne veux pas rater ton train, a-t-il dit après avoir consulté sa montre.

Sans attendre, il s'est levé, laissant son croissant

intact. Je n'avais rien à ajouter. Un jour, s'il continuait comme ça, mon père allait imploser.

Mon train attendait sur la voie numéro neuf. Un TGV gris métallique à l'allure futuriste. Sur le quai, j'ai fait une ultime tentative pour avoir l'heure juste.

— Pourquoi es-tu venu ?

— Je suis quand même ton père, s'est-il contenté de répondre.

Ça ne suffirait pas, ai-je songé en pensant à Joy.

Accolade raide. Plus comme un entrechoquement.

Par la fenêtre du TGV, j'ai encore vu mon père, figé comme une statue de pierre, les bras le long du corps. Un soldat vaillant. Il m'a fait un dernier sourire de diplomate. J'ai agité la main en retour, gênée. Il s'est retourné pour s'éloigner, et j'ai pu respirer à nouveau.

Il était venu. À sa manière, il avait essayé. Voilà tout.

# Vers Saint-Malo

Mon émoi s'est tranquillement dissipé dans l'air renfermé du wagon, avant le départ. Il y avait peu de voyageurs. Dans la gare, une voix féminine annonçait les départs. Amsterdam, Bruges, Bordeaux. J'étais loin de chez moi. Seule. Un sentiment de liberté est monté en moi, m'a arraché un sourire, a chassé le souvenir de mon père. Tant pis pour lui !

Le train s'est mis en marche en grondant. J'ai sorti le livre de Patti Smith de mon sac à bandoulière, me contentant de le poser sur mes genoux. À l'intérieur se trouvait la photo de mes parents, à la page 30. En la regardant, ma sœur allait s'imaginer des choses : une famille unie, un couple amoureux, ce genre de clichés.

Le TGV a traversé Paris à vive allure, puis le paysage est devenu moins urbain. De petites villes aux maisons de pierres. Des toits en ardoise, comme sur les cartes postales. Je me suis endormie jusqu'à Rennes.

Je m'étais imaginé une petite gare. Ce n'était pas le cas. Plusieurs niveaux, un métro même. Une heure à tuer avant ma correspondance. Après avoir repéré la voie d'où partait le train pour Saint-Malo, je me suis mise en quête d'un sandwich.

Les prix étaient exorbitants. Je me rappelais l'enthousiasme de Luce :

— Tu vas voir, ce n'est pas comme ici, ils ne fourrent pas trente-six mille machins dans leurs sandwichs. Ton meilleur choix, c'est une baguette jambon-beurre.

À l'extérieur, je me suis assise sur ma valise pour attendre le train. Le jambon-beurre goûtait la gare, même si c'était meilleur que l'aurait été un sandwich de station-service pain blanc-œufs-mayonnaise. D'un kiosque s'échappaient les notes de *J't'emmène au vent.*

Sur la voie numéro 8, mon train est arrivé. Il était plus ancien que l'autre : des portes coulissantes roses, en angle ; un wagon bleu et gris ; des banquettes usées ; une odeur de ferraille et d'humidité. Après avoir observé des enfants qui se chamaillaient, j'ai ouvert les fenêtres pour faire entrer l'air. Le trajet n'était pas long, à peine une heure, mais à une vitesse d'escargot, en raison des arrêts multiples. Les freins grinçaient contre les rails, un bruit déplaisant, comme celui de la craie sur un tableau noir.

Arrivée à Saint-Malo, j'ai été soulevée par l'impression d'être en vacances. La gare, minuscule, ressemblait à un modèle réduit. J'ai tourné la tête vers le ciel bleu où on pouvait apercevoir quelques traînées de nuages, presque rien. L'eau était proche. Le vent du large m'a ébouriffé les cheveux.

Au kiosque d'information, on m'a conseillé de prendre un taxi pour gagner le port. Il était 14 h. Le traversier vers Jersey partait à 17 h. J'ai eu le temps de faire le tour de la ville fortifiée en tirant ma valise derrière moi, d'acheter une carte postale du Mont-Saint-Michel pour Luce et de me tremper les pieds dans l'eau en observant le ballet des voiliers. La Manche était froide.

## La traversée

Le traversier était imposant. Un navire blanc qui avalait les voitures une à une. J'en ai fait le tour sans me presser. Au deuxième niveau, entre le garage et le pont extérieur, les passagers s'installaient sur des rangées de sièges. Plusieurs faisaient la queue à un kiosque pour acheter des sandwichs et de la bière.

Des Anglais, des blonds dans la vingtaine, s'époumonaient et s'injuriaient les uns les autres, sans la moindre pudeur. Ils étaient soûls, visiblement, et formaient une masse indistincte, telle une seule tête blonde, mouvante, écroulée de rire. L'un d'eux s'est extirpé du groupe pour monter sur une table. Il a fait une pause pour fouiller dans un sac de plastique d'où il a sorti un godemiché nervuré qu'il a fait tourbillonner dans les airs en se déhanchant. Tout à fait le genre de mes tantes. Les autres ont redoublé d'enthousiasme. Et il n'était pas encore 18 h.

Le monsieur assis près de moi m'a adressé la parole en anglais :

— *Islanders. They tend to lose it sometimes.*

— Pardon ?

— Oh, vous êtes française ?

— Non, québécoise.

— L'île est petite, a-t-il dit. S'enivrer chez les Français est un rituel de passage pour les jeunes de Jersey, un exutoire. Certains y prennent goût et perdent toute inhibition. Le plus souvent, ça leur passe avec l'âge.

Je lui ai adressé un sourire poli.

Mon appareil photo autour du cou, je me suis réfugiée sur le pont avec l'espoir d'apercevoir des grands dauphins. La mer agitée me rappelait la traversée vers les Îles-de-la-Madeleine que j'avais faite avec Luce. J'ai tenu au maximum quinze minutes, fouettée par un vent froid, transie jusqu'aux os, avant d'abdiquer et de regagner la cabine où, incapable de lire, je me suis assoupie à nouveau.

## La rencontre

En me préparant à quitter le bateau, j'ai passé la main dans mes cheveux emmêlés, gonflés par les embruns. Peine perdue. Une odeur de voyage me collait à la peau, à cause de l'air recyclé de l'avion, de la climatisation, de l'humidité du train et de mes quelques tentatives infructueuses pour me rafraîchir dans les toilettes publiques. En fait, je puais.

J'y étais.

Après avoir franchi les portes situées de l'autre côté des douanes, je me suis arrêtée et j'ai cherché Joy des yeux, le souffle court. Ma poitrine formait une parfaite caisse de résonnance pour ce qui ressemblait à de l'arythmie. J'avais les jambes molles, flageolantes.

Elle m'attendait dans le hall, devant un kiosque à journaux. Elle se tenait immobile, les mains dans les poches. À cause de nos cheveux incendiaires, il nous était facile de nous reconnaître. Je me suis approchée en essayant de sourire.

— Bonjour, Capucine ! a-t-elle articulé avec précision.

— Bonjour, Joy ! ai-je répondu dans un souffle.

Sa voix m'était familière, j'y suis restée suspendue, cherchant d'où me venait cette impression.

Elle portait une chemise de coton, une jupe longue et des sandales de plage. Solange aurait apprécié les ongles manucurés, vernis vert océan. Une pierre opale pendant à son cou. Sa peau laiteuse. Ses cheveux longs et denses, soigneusement peignés. Je savais la coiffure précaire, les boucles pouvant facilement se prendre en tortillons comme des centaines de lianes. Un phénomène que je connaissais.

Elle avait des épaules athlétiques, comme mon père sur la photo. La natation, peut-être ? Comme moi ? Et puis le nez, encore ce nez ! Et son crâne allongé, son front spacieux. C'était Armand, ça aussi.

Chaque partie d'elle me ramenait à ma famille, forçait les comparaisons.

Elle m'a ouvert les bras et je m'y suis enfouie. Une étreinte tonique et franche. Elle avait un parfum de verveine. Ça collait, finalement.

Mes inquiétudes ont fondu. J'avais bien fait de venir. Je l'ai su à cet instant précis, au contact de sa peau et à son étreinte chaude et pleine.

Joy s'est éloignée d'un pas, gardant les mains posées sur mes épaules.

— Je n'ai jamais ressemblé à personne avant, m'a-t-elle dit d'emblée.

Moi non plus, ai-je songé pour moi-même. Le dire tout haut risquait de sonner creux.

Attrapant ma valise d'un geste souple, elle m'a entraînée vers le stationnement.

— Je te préviens, ma camionnette est une vraie poubelle.

Une vieille Volks blanche écaillée était stationnée au milieu des voitures luxueuses. Un modèle T2 datant de 1984, a précisé Joy. Des planches de surf étaient attachées sur le toit à l'aide d'un jeu de cordes. Joy a ouvert les portes latérales pour accéder au coffre et y a fourré ma grosse valise en faisant de l'espace entre les serviettes de plage, les combinaisons de surf, les seaux et les pelles en plastique. Le sol était tapissé de sable. Le cuir gris des sièges montrait des signes d'usure, était même troué par endroits. Sur la banquette centrale, un siège d'enfant. Dans le creux des portières, des cailloux.

— Installe-toi.

J'ai continué à marcher dans ses pas, évitant de peu la collision. Joy a ri.

— Ici, on conduit à droite, et les passagers montent à gauche. Faudra t'y faire !

Elle a pris place derrière le volant et a attrapé ses sandales d'une main pour ensuite me les tendre. Elle aimait conduire *barefoot.*

— Pieds nus ?

— Exactement ! Pieds nus. Pour sentir le moteur. La camionnette est capricieuse, il lui faut beaucoup d'amour.

C'était peu dire. La conduite de la Volks était tout un

art. La première vitesse avait rendu l'âme en 1995. Il fallait démarrer en seconde, en jouant délicatement avec la pédale à essence, pas trop cependant pour ne pas étouffer. La cinquième, peu fiable, servait rarement, mais cela convenait puisque, selon Joy, les gens roulaient doucement ici. À une vitesse de tracteurs.

Les mains de Joy tenaient le volant avec fermeté. J'ai reconnu les doigts veinés de ma mère. Tout en manœuvrant la camionnette, elle faisait la conversation, cheveux au vent, sans se soucier de sa coiffure. Mon regard passait des mains aux pieds dénudés, m'attardant à un orteil bagué.

Une sensation indescriptible m'habitait, fruit de cette rencontre incongrue entre le familier et l'inconnu. Il était difficile pour moi de ne pas la dévisager, de passer de l'observation à la parole. Nous avons parlé du voyage, elle m'expliquant qu'il n'était pas facile d'accéder à Jersey et qu'elle quittait rarement l'île, moi débitant des banalités sur les transferts avion-train-bateau. J'ai préféré ne rien dire de la présence de mon père à l'aéroport.

En français, son débit était lent. Elle s'appliquait à détacher les syllabes pour éviter de s'accrocher dans la prononciation. Je devinais l'élève studieuse tout autant que l'enseignante. Elle se trompait rarement d'ailleurs et, s'il lui arrivait de buter sur un mot, elle passait à l'anglais. Les tonalités britanniques de sa langue, distinctives et élégantes, me plaisaient, me fascinaient même. Le contraste entre nous s'affichait nettement.

Au bout d'une dizaine de minutes, la camionnette a quitté la côte et s'est enfoncée dans la campagne. Des champs, des fermes, des troupeaux de bovins. Les fameuses *Jersey cows*, a indiqué Joy en pointant une vache au regard placide qui broutait l'herbe jaune. D'autres étaient couchées, la tête levée vers nous, tranquilles.

Les maisons étaient sobrement cossues. De belles et vieilles demeures en pierres, qui s'harmonisaient avec le paysage. La végétation était abondante, à la fois sauvage et soignée.

Bientôt, nous avons bifurqué sur une route secondaire, puis une autre, étroite et sinueuse, bordée par un muret de pierres. Les routes s'enfonçaient dans la campagne, camouflées par les arbres. Ma sœur récitait pour moi le nom des rues, généralement inscrit en français, parfois en jersiais, le patois de l'île, mais rarement en anglais.

L'île était divisée en 12 paroisses. Joy habitait le village de Sion, situé dans le nord, dans la paroisse St. John. Sur la grande route de St-Jean, il y avait une église protestante. Rue des Houguettes, un cimetière d'avant-guerre aux pierres tombales grugées par le temps, certaines penchées, presque couchées. En face, la coopérative locale, l'épicerie du coin.

— *Downtown Sion !* s'est exclamée Joy.

À gauche, la camionnette s'est engagée sur la rue Militaire, un chemin ombragé. Les branches des arbres ployaient de part et d'autre, formant un tunnel verdoyant. Sur la droite, la maison de ma sœur.

## *Strawberry Field*

Au moment où Joy a arrêté le moteur, j'ai entendu un chien aboyer avec insistance. La maison me faisait face. Elle portait un nom, affiché sur un petit écriteau près de la porte : *Strawberry Field.* Un bon présage.

Des pierres de granit, effritées dans les angles, étaient surplombées par un toit anthracite. Tout autour poussaient une variété de fleurs et d'arbustes fruitiers : échinacées, tournesols, cosmos, hémérocalles, églantiers. Aucune piscine hors terre en vue.

Quelque chose a ramolli en moi, dans la région de la poitrine. Il y avait une douceur dans l'air, le paysage était à des lunes de mon ordinaire.

La portière de la Volks a résisté en grinçant, puis s'est ouverte pesamment sur la truffe noire d'un border colley. Noir et blanc, les oreilles formant deux triangles bien droits, les yeux jaunes et brillants.

— Walter ! *Stop it !* a sommé Joy avec autorité, puis, à mon intention : Nous avons un chien. J'espère que tu n'es pas allergique.

Je ne l'étais pas.

Un homme est sorti de la maison. Grand, massif, le ventre un peu rond. Encore un roux. Carotte, celui-là. Il avait des picots caramel partout sur le visage, rond comme un ballon de plage.

— Bonjour, Capucine, a-t-il prononcé avec application en s'approchant de moi.

Il s'était exercé. Mon prénom n'était pas commode pour les anglophones. Sa main tendue a avalé la mienne.

— Je te présente Lily, a-t-il dit en soulevant de terre une petite fille qui le suivait comme son ombre en tentant de se cacher derrière son dos.

Elle me regardait avec méfiance, ce qui la faisait paraître plus âgée que sur la photo que m'avait envoyée Joy. Ses yeux étaient d'un bleu azur. De qui pouvait-elle tenir cette couleur ?

Un coq a chanté. Comme piquée par une aiguille, Lily s'est tortillée pour se défaire de l'étreinte de son père. Une fois au sol, elle a arqué la poitrine et, sur le même air, s'est exclamée :

— *I'm so handsome !*

Quelque chose entre une déclamation solennelle et un numéro de cirque.

Joy a précisé :

— Lily joue à l'interprète pour le coq. Elle est convaincue de le comprendre. Pareil pour les poules.

Je me suis agenouillée pour mieux saluer la petite, remarquant les écorchures qui lézardaient ses jambes dorées. Il n'y avait aucun air de famille entre elle et moi.

Lily m'a dévisagée encore une fois avec sérieux. Cela a duré une seconde à peine. Au son du coq, elle a détalé vers l'arrière de la maison.

— Le poulailler est dans le jardin, a dit Joy. Va voir, je m'occupe de ta valise et je te rejoins.

Dans le poulailler, les volatiles vaquaient à leurs activités, picorant des épis de maïs et des tomates défraîchies. Les poules se sont affolées un instant quand j'ai pénétré dans l'enclos, et j'ai immédiatement pensé à mes tantes en réprimant un sourire.

Le coq a chanté à nouveau. Voulant faire bonne impression, je me suis empressée de répondre : « Cocorico ! »

Lily affichait maintenant un air perplexe. Décontenancée, j'ai expliqué que c'était mon imitation du chant du coq.

Elle s'est exclamée, hilare : « Mais non ! On dit *cock-a-doodle-doo.* »

J'ai agrandi les yeux : « *Cock-a-doodle-doo* ? Mais non ! C'est cocorico. »

Elle semblait à la fois éberluée et incrédule.

— Et puis après ? Tu vas me dire que la vache ne fait pas « meuh » ? ai-je ajouté pour la taquiner.

— Mais non, elle fait « *mooo* », a-t-elle beuglé avec une expression comique.

Nous avons imité tour à tour tous les animaux de la ferme, passant d'une langue à l'autre. Un jeu pour nous apprivoiser l'une l'autre. Nous en étions à la chèvre lorsque Joy est sortie par la porte-fenêtre pour venir nous rejoindre, deux bouteilles de bière blonde à la main.

— J'ai pensé que ça te ferait du bien, a-t-elle dit en m'en tendant une.

J'ai souri bêtement, étonnée qu'on m'offre d'emblée de l'alcool. Joy a compris, s'est empressée de me proposer autre chose. Je l'ai rassurée. Ce n'était pas ma première bière.

Nous nous sommes assises dans le jardin autour d'une petite table ronde un peu bancale.

— Tu dois être fatiguée. Tu aimerais prendre une douche ? m'a-t-elle demandé en posant ses pieds nus sur une chaise.

— Ça peut attendre, merci, ai-je répondu poliment en avalant une gorgée de bière.

Le verre a cogné contre la paroi de mes lunettes. Une maladresse coutumière.

— Myope ? a aussitôt demandé Joy.

— Oui, myopie de – 5, ai-je précisé en jouant avec l'étiquette de la bouteille. Je porte des lunettes depuis l'âge de huit ans.

— Comme moi ! a-t-elle dit, et cela l'a fait rire. Enfin, je vais pouvoir parler génétique avec quelqu'un. Je n'y croyais plus.

Elle avait un rire de gorge, un rire que je connaissais. Celui de ma mère. En l'entendant, mon ventre s'est noué. Le rire était donc héréditaire ? J'aurais juré le contraire.

Et pourtant, Joy le tenait bien de quelque part, ce rire sans accent. J'ai cherché à masquer mon trouble en buvant une gorgée de bière.

# Aquarium

Après avoir bu notre bière, nous avons entamé la visite officielle. L'entrée de la maison croulait sous les chaussures et les bottes de pluie, des tas de sable se formaient dans les coins, « une bataille perdue d'avance », a soufflé Joy. Des crochets en forme d'ancres de bateau, du bois flotté sur les étagères du salon.

Des jouets, des livres et des vêtements traînaient un peu partout. Une trottinette, une canne à pêche et un seau encrassé faisaient partie du fouillis environnant. Il régnait dans cette maison une réelle joie de vivre.

Joy a pointé le doigt en direction d'une série de photos de la famille Jones, trônant sur un buffet, au salon. Les sœurs de ma sœur avaient une carrure imposante, une poitrine généreuse. Même leurs dents, droites et blanches, me semblaient démesurées, leurs palettes étaient deux fois plus larges que les miennes. Joy avait grandi dans les hauteurs des Jones. Elle avait dû avoir le tournis à force de se hisser sur la pointe des pieds et d'arquer le cou. Mais aussi, me suis-je dit, elle avait pu profiter d'un filet protecteur hors du commun, d'une véritable forteresse.

Nous sommes montées à l'étage. On m'avait installée dans la chambre de Lily, peinte en bleu piscine. J'ai parcouru des yeux ses trésors : des coquillages, des étoiles de mer, des bouteilles contenant du sable, des petits bateaux colorés, des figurines de sirènes et de dauphins. On se serait cru dans un aquarium ou un musée maritime. Je me ferai poisson, ai-je pensé avec bonheur.

— Lily dormira avec nous, a ajouté ma sœur en ébouriffant la tignasse de sa fille.

Il était passé 18 h. Tom a fait griller du poulet et nous avons mangé rapidement pour que je puisse aller me reposer.

Je venais de me lever de table lorsque le téléphone a sonné. « Capucine, c'est pour toi », a chantonné Tom, avant d'annoncer ma grand-mère dont il a massacré le nom. Celui-là, il ne l'avait pas répété.

Il m'a tendu le combiné.

— Bonjour, ma puce, comment vas-tu ?

Entendre la voix de Luce et, instantanément, retrouver mon calme.

— Bien, grand-maman, et toi ? ai-je dit en me dirigeant vers la terrasse.

— Bien. J'avais hâte de te parler, ça t'a fait un sacré long voyage !

— Oui, mais tout s'est bien passé, l'ai-je rassurée. J'ai même eu le temps de visiter Saint-Malo. C'est vraiment beau, ici.

J'aurais voulu lui dire pour le rire de Solange, mais je

craignais d'être entendue. Je n'ai rien dit non plus sur la présence de mon père à Paris.

— As-tu l'intention d'appeler ta mère ? Je pense qu'elle aimerait bien avoir de tes nouvelles.

J'ai dégluti péniblement.

— J'hésite à l'appeler d'ici... Tu ne pourrais pas lui parler à ma place ? En fait, tu ne pourrais pas lui dire de se créer une adresse courriel ? Vous pourriez faire ça ensemble, ce serait plus facile...

Luce a soupiré, mais elle n'a pas insisté.

— D'accord, Capucine. Je vais l'appeler pour toi. Allez, va dormir, ma puce, tu dois être épuisée.

En effet, je commençais à sentir l'effet cumulé du décalage horaire et du manque de sommeil. Sans compter les émotions de la journée. Après avoir raccroché, j'ai souhaité bonne nuit à tout le monde et je suis montée me coucher.

Dans la chambre de Lily, il y avait deux lits superposés. J'ai choisi celui du bas. Dans l'obscurité, j'ai fait tourner la croix de Solange entre mes doigts, un peu désorientée. J'étais venue seule, mais j'avais la nette impression d'être accompagnée par toute ma famille. J'y pensais comme jamais.

# Bonne nuit

Le chant du coq et le bruit de mes pensées m'ont réveillée à l'aube. Le chien dormait roulé en boule sur le tapis, la truffe enfouie dans le creux chaud du ventre, me donnant envie de le rejoindre. Sur le lit du haut, Lily ronflait doucement. Elle avait dû se faufiler dans la chambre durant la nuit.

Je me suis levée sans faire de bruit et suis allée faire un tour dehors. Le soleil pointait timidement à travers les nuages striés, il ne faisait pas chaud. Le coq s'époumonait, infatigable. Il allait finir en poulet rôti, celui-là.

À mesure que j'observais les alentours, de nouveaux détails se dévoilaient à moi. Le vert de gris sur l'ardoise du toit, le nid d'hirondelles sous une poutre, le parfum piquant charrié par les plants de menthe et de basilic. Enroulée dans une couverture, j'ai attendu, assise sur une chaise longue, que la maison s'éveille.

Une heure plus tard, elle grouillait d'activité. Tom, qui partait de bonne heure, s'affairait au-dessus de la planche à repasser. Il supervisait les chantiers de construction de l'île, élevait des digues, pavait les routes.

De la cuisine, j'ai entendu Joy émettre une série d'éternuements sonores. Ce genre de bruit ne m'était pas étranger.

— Foutues allergies ! a-t-elle dit en passant devant moi, une boîte de mouchoirs sous le bras. C'est comme ça chaque matin.

Son nez rouge et bouffi était une copie conforme de celui d'Armand. Même si je n'avais pas hérité de cette morphologie, il m'arrivait assez fréquemment, à moi aussi, d'être en proie à des éternuements incontrôlables, d'avoir du mal à respirer entre chaque explosion et de vider une boîte de mouchoirs en plein mois de juillet, à cause du pollen. L'hiver, c'étaient les sinusites. Ce nez était une véritable malédiction familiale.

L'immersion dans l'intimité de la famille Piper, bien qu'étrange, n'était pas désagréable. La présence de Lily chassait l'embarras. Dans le salon, elle m'avait tirée par la manche pour que je vienne écouter les dessins animés, tournant ma tête vers elle de ses deux mains pour s'assurer d'avoir toute mon attention. J'étais son nouveau jouet.

Joy m'a offert un *builder's tea,* un sachet de thé à peine trempé dans une tasse d'eau bouillante à laquelle elle ajoutait du sucre et du lait. Tom s'en était rempli un thermos.

— Si tu préfères, je te fais un café.

— Non merci. Le café, je n'aime pas vraiment ça.

À table, Joy s'est excusée pour sa fille qui avait déserté son petit lit de camp au milieu de la nuit sans crier gare.

— Ce n'était pas prévu… et Walter qui la suit partout. Quel accueil on te fait ! Tu as dû te sentir complètement envahie.

— En fait, non. Ça ne m'a pas du tout dérangée, ai-je dit en soufflant sur le liquide chaud.

— Si tu le dis, a-t-elle répondu avec scepticisme.

Puis elle a apostrophé Tom, qui était sur son départ. Elle hésitait entre deux destinations pour la matinée. Consulter l'horaire des marées ne suffisait pas, il fallait tenir compte d'autres éléments.

— La marée haute est à 6 h 30, la marée basse, à 11 h, a-t-il répondu en anglais. Ce sera venteux, mais ensoleillé. À votre place, j'irais à la plage Bonne Nuit.

Cette plage avait l'avantage d'être protégée du vent de l'est, un vent froid pouvant facilement devenir désagréable, m'a-t-il expliqué avant de partir pour la journée.

Le nom de la plage m'a fait sourire. J'avais hâte de découvrir l'île. J'ai aidé Joy à préparer les sacs de plage, que nous avons entassés à l'arrière de la camionnette.

Cette fois, je me suis dirigée vers le côté gauche de la voiture. Walter attendait devant le volant, sérieux et immobile, affichant un air de propriétaire. Joy l'a délogé sans ménagement, l'envoyant rejoindre Lily sur la banquette arrière.

— C'est la faute de Tom. Quand Walter était chiot, Tom l'assoyait sur ses genoux en conduisant. Forcément, le chien a pris la mauvaise habitude de se tenir là. Il croit que c'est sa place.

Le moteur a émis une série de bruits menaçants avant de se mettre en marche en hoquetant, puis le véhicule a pris son élan et s'est élancé dans la campagne verdoyante. Différentes espèces de plantes poussaient à la verticale, fleurissant entre les interstices de la pierre des murets. Le lierre grimpait le long des arbres comme autant de tresses nouées, entrelacées et denses. Par la fenêtre, j'ai vu un lièvre détaler dans un champ, fonçant vers un bosquet touffu. La camionnette mettait la faune en émoi.

Le pied sur la pédale de frein, Joy a descendu la route des Charrières, une côte abrupte qui bifurquait dangereusement, offrant, dans les courbes, une vue à couper le souffle sur la mer émeraude. Mon regard cherchait à apercevoir entre les arbres le scintillement de l'eau, dont je respirais les effluves salins. Mon cœur s'est emballé. La mer, la liberté.

La vue s'est dégagée progressivement. Nous y étions. La baie, petite et intime, était nichée au creux des falaises, comme un trésor caché. Nous sommes descendues vers elle.

En approchant de l'espace de stationnement, Walter a enchaîné d'impatients jappements et Lily a crié qu'elle voulait sortir. Aussitôt libérés, ils ont dévalé la pente en direction de la mer pendant que Joy hurlait des consignes, en vain. J'avais des fourmis dans les jambes, moi aussi. J'avais envie de courir à leur suite.

La baie était délimitée d'un côté par un quai en

pierres massives qui accueillait les pêcheurs et, de l'autre côté, par des montagnes vertes où poussaient des bosquets de fleurs jaunes et violettes. La plage de galets et de sable était ainsi abritée du vent. Des bateaux amarrés, des chaloupes à moteur et quelques voiliers modestes se faisaient ballotter par l'eau qui se retirait doucement. Une eau calme, paisible.

J'ai sauté dans les airs, atterrissant sur le sable blond et humide, entre de lourdes chaînes métalliques qui servaient à amarrer les embarcations. À quelques mètres de distance, il y avait un escalier à moitié immergé, creusé à même la pierre, qui permettait de rejoindre la mer.

La petite s'affairait à enfiler une combinaison marine. J'ai compris pourquoi en mettant les pieds à l'eau. La température de la mer avoisinait celle du fleuve à la hauteur de Kamouraska. Glaciale, mais pas impossible. Le truc, c'était de ne pas y penser.

— Tu vas te baigner ? s'est étonnée Lily en me voyant retirer mes vêtements.

— Oui ! ai-je dit en prenant mon élan.

Je me suis saucée d'un coup, mouillant ma tête, léchant le sel sur mes lèvres. Le froid a dissipé toute trace de fatigue.

Allongée sur une planche, les mains clapotant dans l'eau, Lily me regardait faire, l'air impressionnée. Je suis revenue vers le bord, ne gardant que les pieds à l'eau. Elle m'a guidée entre les bateaux pour me montrer des canetons qui nageaient en rang serré derrière leur mère. Walter a bondi sur le groupe qui s'est dispersé dans un affolement de battements d'ailes.

Assise sur le sable, Joy nous observait derrière ses lunettes de soleil rondes, le visage protégé par un chapeau de paille à larges rebords. Elle portait un chemisier blanc à manches longues et cachait ses jambes sous un paréo. Physiquement, absolument tout chez elle m'était connu, mais je ne savais toujours pas qui elle était. La pensée qu'elle aurait pu grandir à Montréal, quelques années avant moi, m'a traversée. J'aurais pu avoir une sœur aînée, une famille différente… J'aurais pu tout simplement ne jamais naître.

— Tu ne te baignes pas ? lui ai-je demandé en remontant vers la plage.

— Non merci, l'eau est carrément glaciale.

Deux combinaisons marines séchaient sur le sable. Une d'entre elles m'était destinée, mais le néoprène ne me faisait pas envie pour l'instant.

— Regarde, là, sur le quai, les enfants se préparent à sauter.

Une bonne douzaine de mètres séparaient le quai de la surface de l'eau. La mer ne me semblait plus aussi calme, mais profonde, mouvante, insondable.

— Ce n'est pas dangereux ? ai-je demandé, incertaine.

Ayant escaladé le mur, les enfants se sont positionnés, se tenant par la main pour s'élancer en poussant des cris joyeux. Une chute désordonnée. Un instant plus tard, ils disparaissaient dans les remous. J'ai compté. Tous sont remontés, s'ébrouant en direction d'un autre escalier à paliers.

— Quand la mer est haute, la distance est minime, c'est un saut de rien du tout, une toute petite frayeur, m'a expliqué Joy. À marée basse, c'est un coup d'adrénaline assuré. Il faudra que tu essaies.

— Et là, c'est entre les deux ?

— Exact. La hauteur parfaite, a-t-elle dit en me jetant un regard amusé.

Je n'étais pas encore tout à fait prête pour les sauts périlleux.

Une femme s'est approchée en faisant de larges salutations avec son bras. Elle portait un bébé sur la hanche. La mère et l'enfant me dévisageaient d'un drôle d'air.

— Ruth, a-t-elle dit en me tendant la main avec un sourire poli.

J'ai bredouillé mon nom de façon inaudible, à moitié en français et à moitié en anglais. Elle m'a dévisagée de plus belle.

— Voici Capucine, ma sœur du Canada, a lâché Joy avec aplomb.

Le regard de Ruth passait de l'une à l'autre, dans l'attente de quelques explications. Voyant qu'il n'y en aurait pas, elle s'en est courtoisement tenue aux banalités d'usage, commentant la météo.

— Une amie d'une amie, m'a expliqué Joy quand elle s'est éloignée. Cette île est minuscule. Tout le monde se connaît. Une population homogène, de jolies têtes blondes, une morale bien-pensante, des banquiers à la pelle, de grosses fortunes... Heureusement qu'il y a la mer, ça compense...

L'ivresse débridée des blonds sur le traversier m'est revenue en tête.

— Lily va avoir faim, tu veux aller boire quelque chose au café ?

À quelques pas de la plage, j'ai goûté à mon premier scone servi, comme il se doit, avec de la confiture et de la crème fraîche, un beurre fouetté et aérien. Aux dires de Joy, c'était *the finest.*

La panse alourdie, je me suis baignée à nouveau, allant même jusqu'à me laisser flotter sur le dos pour mieux contempler le ciel sans nuages.

# Rousses

La petite m'a enlacé les jambes un peu avant le souper. De dos, elle m'avait confondue avec sa mère. Quand elle s'est rendu compte de sa méprise, la surprise ainsi qu'un franc mécontentement ont assombri ses yeux azur.

— Ça va ? ai-je demandé en la soulevant de terre.

Elle s'est tortillée, me forçant à la déposer, et s'est enfuie en courant pour rejoindre sa mère à la cuisine. Je suis restée penaude, caressant le chien d'une main distraite.

L'épisode n'était pas clos. Les murs poreux ne retenaient pas les sons. J'entendais Joy et Lily se parler de choses compliquées.

— Est-ce que Capucine, c'est ta sœur ?

— Oui, a patiemment répondu Joy.

Puis Lily a continué son investigation : est-ce que j'étais la sœur de *aunty* Amy et *aunty* Laura ?

— Non.

Alors qui étais-je ?

— Capucine est ma sœur du Canada. Si tu veux, elle peut être ta tante du Canada.

Lily a réfléchi un instant.

— D'accord.

Ça a semblé lui plaire. Elle n'avait pas d'autres questions pour l'instant. Elle avait trois tantes, tout simplement, et les liens entre elles n'avaient aucune importance.

Lily est venue me rejoindre au salon, armée d'une brosse à cheveux. Docile, je l'ai laissée me couvrir la tête de barrettes roses, bleues, jaunes. Elle lissait mes cheveux mèche par mèche, concentrée, pour une rare fois silencieuse, sa main menue sur le sommet de ma tête. Joy coupait des légumes à la cuisine, passant la tête par l'entrebâillement de la porte à intervalles réguliers, attentive.

— À toi maintenant, maman ! a hurlé Lily.

Elle a fait une coiffure semblable à Joy, qui m'envoyait des sourires complices pendant que je palpais tous ces objets sur ma tête. J'avais une irrépressible envie de rire.

— Voilà ! Vous pouvez aller vous voir dans le miroir, a conclu Lily, satisfaite et autoritaire.

Avec nos lunettes rectangulaires, nous avions résolument la même tête. Un peu grotesques, mais jumelles.

— Nous sommes pareilles ! a lâché Joy. Tu nous prends en photo ? a-t-elle demandé à sa fille.

L'émotion m'a prise d'un coup, j'en avais des papillons dans le ventre. Cette enfant était maligne. À l'aide de barrettes colorées, elle avait cousu un fil entre nous trois, me suis-je dit en souriant pour la caméra.

## Saint-Ouen

Le lendemain soir, Joy et moi sommes sorties toutes les deux marcher le long de la côte, du côté de Saint-Ouen, dans le nord-ouest de l'île. La plage était infinie. Déserte. Majestueuse.

À l'heure où le soleil déclinait, mer et ciel se confondaient. Les vagues hautes fouettaient le *sea wall,* un mur de pierres épais qui protégeait la côte de l'érosion. À Saint-Ouen, il longeait la plage sur plusieurs kilomètres. Un trottoir permettait de marcher en surplombant la mer. Des masses d'eau venaient se heurter contre les pierres de grès et repartaient vers le large en moussant.

L'air, humide et salin, était une vraie cure. La mer argentée m'a paru dangereuse. Il y avait tout de même quelques surfeurs téméraires sur l'eau.

— Il y a des noyades chaque été, m'a appris Joy. Principalement des touristes qui ne connaissent pas les courants.

D'ailleurs, un surfeur tentait péniblement d'atteindre l'escalier menant au quai. Joy a continué à marcher sans s'émouvoir.

Nous sommes passées devant une maison de chaux blanche esseulée.

— C'est St. Peter's Guard House, m'a expliqué Joy. Au XVIII^e siècle, elle servait de repère aux marins. Tu vas voir, il y a beaucoup de sites historiques sur l'île, comme les anciens bunkers construits par les Allemands.

Nous marchions d'un pas lent, très près l'une de l'autre afin de nous entendre malgré le bruit du vent et de la mer. Nos bras se frôlaient. Le parfum acidulé de Joy me donnait l'impression agréable de respirer les châles laineux de Luce.

Seule avec ma sœur, je savais qu'on allait devoir parler. Pourtant, ma tête était vide. La croix de Solange appelait mes doigts qui semblaient s'être habitués au contact de cet objet sur ma peau. J'ai répété combien j'étais contente d'être venue.

Joy a répondu : « Moi aussi. C'est incroyable pour moi de te rencontrer sur mon île. Tu sais, ça m'a pris du temps avant de trouver un endroit où je me sente vraiment bien. »

J'ai eu envie de la toucher. Je me suis contentée de sourire.

Elle m'a confié qu'elle n'avait pas toujours été heureuse. En entendant ces mots, j'ai vu une ombre passer sur son visage. Il y avait eu des moments difficiles, une peine d'amour douloureuse.

Une mouette a volé au-dessus de nos têtes, piquant vers l'océan. Nous avons suivi sa manœuvre en silence, puis ma sœur a repris la parole. Elle m'a parlé de ses parents adoptifs qu'elle adorait.

— Un couple tout ce qu'il y a de plus normal, a-t-elle précisé. Ils m'ont aimée sans condition.

Mais elle s'était toujours posé beaucoup de questions, des questions usantes puisque sans réponses, celle-ci en particulier : « Pourquoi, entre toutes les villes du monde, ai-je abouti à Liverpool, dans ce trou perdu ? » Un lieu qu'elle qualifiait de *shithole* : « Liverpool n'est rien d'autre qu'un *shithole.* » Elle a ajouté :

— Plus jeune, je n'aurais pas été capable de supporter que ma mère canadienne existe et ne veuille pas me voir. Je n'aurais pas pu vivre ça.

Le « je ne peux pas » de Solange trouvait un écho jusqu'ici. Et moi qui jouais les prix de consolation. L'émotion me nouait la gorge. J'ai dégluti avec peine, cherchant à avaler une boule qui ne voulait pas passer.

Quelque chose s'était refermé autour de Joy et moi. Un cocon brumeux. L'impression qu'il n'y avait plus que nous deux, nos pas accordés, nos cheveux roux soulevés par le même vent. Et la mer qui continuait à faire rouler le ressac si fort que nous en étions éclaboussées.

— J'ai besoin que tu m'aides à comprendre.

— Je vais essayer, ai-je murmuré.

Retirant les mains de mes poches, je les ai portées à mon cou.

— J'ai quelque chose pour toi.

J'ai fait glisser l'attache de la chaîne sur ma poitrine

pour pouvoir la défaire plus aisément. Le cou dénudé, exposé, j'ai refermé ma main autour de la croix de ma mère un bref instant avant de la confier à ma sœur.

— Solange, ma mère… ta mère… a reçu ce bijou en héritage de sa propre mère, Isabella Keats. Elle ne l'enlève jamais. Quand je pense à elle, je vois ses longs doigts jouer avec la chaîne. La veille de mon départ, elle m'a demandé de te la remettre.

La main de ma sœur a tremblé légèrement. Une larme a coulé le long de sa joue, traçant un sillon mouillé entre les taches de rousseur. Une seule larme. Moi, par contre, je pleurais franchement. Nous nous sommes appuyées contre le muret de pierres, face à l'océan.

— Je suis allergique aux larmes, a-t-elle soufflé.

Je l'ai dévisagée, incapable de déterminer si elle parlait sérieusement.

— J'ai la peau hypersensible. Je réagis aux agressions extérieures : je suis allergique au soleil, au sel de la mer, à la poussière… et à mes propres larmes. J'ai appris à ne pas pleurer.

— C'est triste.

— Je me disais que tu étais peut-être comme moi.

— Non. Il n'y a que mon nez qui me fait des misères. C'est le nez d'Armand, d'ailleurs, mon… notre père.

Elle m'a ensuite demandé de l'aider à détacher la chaîne en argent qui entourait sa nuque.

— J'aimerais te la donner.

— Pour Solange ?

Elle a haussé les épaules.

— Je ne sais pas. À toi de voir.

Cette manie de s'en remettre à moi. La chaîne de ma mère a disparu au fond de la poche du jeans de ma sœur. J'ai attaché la sienne autour de mon cou.

Nous sommes restées un moment sans parler, les yeux perdus dans l'horizon bleuté, puis elle a posé des questions plus directes.

— Tu peux me parler de Solange ?

Je ne savais pas par où commencer.

— Solange travaille dans un salon de soins esthétiques en banlieue de Montréal. Elle en est copropriétaire avec sa sœur Emma. Ça lui va très bien, ce travail, parce qu'elle aime beaucoup parler. Trop, selon moi. Et aussi parce qu'elle aime le maquillage, les paillettes, la poudre or qui fait briller ses yeux. Chaque matin, elle applique de l'ombre à paupières et du rouge à lèvres. Même en plein hiver, quand les gens pressent le pas et gardent le regard par terre, elle se fait belle. Ça la rend heureuse.

Joy ne me quittait pas des yeux. J'ai compris qu'elle voulait en savoir davantage.

— C'est une très belle femme. Grande, mince, blonde. Tu as les mêmes lèvres qu'elle, les mêmes fossettes dans les joues quand tu souris, les mêmes pommettes hautes. Le même rire, aussi.

— Quoi, le rire ?

— Ça peut paraître étrange, mais quand tu ris, j'entends ma mère. Je te le jure !

Joy a penché la tête, muette. Elle a porté la main à sa gorge, palpant le vide sur sa peau, cherchant la chaînette. C'était le temps de sortir la photo de mes parents que je transportais au fond de mon sac.

— Tiens, regarde. Ce sont eux. Armand et Solange. En 1970. Ils s'aimaient, paraît-il, mais je ne les ai jamais connus comme ça.

Joy a fixé la photo longuement.

— 1970… C'était un peu avant que je naisse. On dirait des enfants, a-t-elle murmuré.

Elle était perdue dans ses pensées. Puis, après un long silence :

— Ils ne t'ont jamais parlé de moi ?

— Non… Pas avant qu'on reçoive la lettre du travailleur social.

J'ai vu sa poitrine se gonfler d'air. J'ai eu peur qu'elle pleure. Qu'arrivait-il à sa peau lorsqu'elle pleurait ?

— Ma mère n'a jamais parlé de ce qu'il lui est arrivé, mais maintenant que je sais, tout s'explique. Je crois qu'on a tout décidé pour elle. Liverpool, l'adoption. Je pense qu'elle ne s'en est jamais vraiment remise. Juste après la mort de ses parents, elle a été hospitalisée. En psychiatrie…

Une vague est venue cogner bruyamment contre les remparts, me forçant à faire une pause.

— Je ne peux pas te dire pourquoi elle n'a pas répondu à ta lettre. J'aimerais beaucoup, mais je ne le sais pas. La peur, peut-être. J'ai l'impression de ne pas bien la connaître, au fond...

J'ai pris conscience d'une pensée refoulée. L'absence de Solange m'arrangeait. C'était terrible, mais c'était vrai. Si elle s'en était mêlée, si elle avait parlé, si elle avait fait le voyage, je serais sans doute restée à Montréal. Son immobilisme était pour moi un gage de tranquillité, il me donnait la possibilité d'aller au-devant de ma sœur. Elle m'avait en quelque sorte laissé le champ libre. J'ai respiré à fond avant de parler à nouveau.

— Solange et moi sommes très différentes. Il y a quelque chose qui ne passe pas entre nous deux. Armand, lui, est un genre de fantôme. Il est plus souvent à l'étranger qu'à Montréal. Je le vois rarement.

— Tu lui en veux ?

Sa question sans détour m'a surprise.

— Pas vraiment. J'ai l'habitude. L'été de mes sept ans, je suis partie avec lui au Togo, lui ai-je confié sans trop savoir pourquoi.

— À Lomé ?

— Tu connais ?

— Oui. J'y suis restée un long mois quand j'avais vingt ans. Un pays magnifique. Je te raconterai, a-t-elle dit en souriant.

Elle a pris une mèche de ses cheveux entre ses doigts et m'a demandé d'où venait ce roux.

— Ah ! C'est compliqué. Luce pense que c'est une histoire de gènes récessifs. Plus jeune, j'étais persuadée d'avoir été adoptée. M'inventer une autre famille était mon jeu préféré.

J'ai regretté mes paroles immédiatement, mais Joy n'a pas relevé la maladresse. Nous nous sommes remises en marche silencieusement, fatiguées. Il y aurait d'autres promenades sur la plage.

# Saint-Ouen II

J'ai dormi d'un sommeil agité. Chaque petit bruit suffisait à me réveiller, les grommellements des dormeurs, le grincement d'une porte, le vent, et puis les corneilles, à l'aube. Lorsque le ciel s'est finalement éclairci, j'ai décidé d'abdiquer. En me voyant sortir du lit, le chien s'est aussitôt redressé sur ses pattes, me fixant de ses yeux jaunes.

Nous sommes sortis dans le rose du petit jour, Walter humant la terre humide en agitant la queue. Le ciel était incertain. Une tasse avait été oubliée sur la table de la terrasse. Camomille.

J'ai profité de la quiétude pour écrire une carte postale à Luce, celle du Mont-Saint-Michel. Elle me manquait. Je me sentais un peu égarée.

Tom n'a pas tardé à descendre, les yeux ensommeillés, la mine barbouillée.

— La dernière bière était de trop, a-t-il avoué entre deux bâillements. Joy a passé une mauvaise nuit, elle a quelques heures de sommeil à rattraper. Toi, ça va ?

— Oui, ai-je dit poliment.

Ma présence ne semblait pas le gêner. Il est sorti nourrir les poules et ramasser des œufs pour le déjeuner, après quoi il a préparé le thé du matin et m'a lu les informations maritimes.

— Au fait, tu es une bonne nageuse ?

— Oui. Pourquoi ?

— Tu veux apprendre à surfer ?

— Absolument !

Il s'est retourné pour verser un verre de jus à Lily qui avait dévalé l'escalier, complètement réveillée.

— L'important, c'est d'être capable de remonter à la surface, a-t-il ajouté.

J'ai eu une pensée pour le lac dans lequel j'avais appris à nager. Un lac d'eau douce comme il y en a tant au Québec, sombre, prévisible. Enfant, j'aimais retenir ma respiration, les yeux ouverts pour observer les rayons du soleil qui coloraient l'eau noire. Souffler des bulles en expirant avec les narines. Je pouvais tenir longtemps, sous l'eau, absorbée par la répétition lente de mes mouvements et l'envie de me laisser couler tout au fond, puis de remonter à la surface et de reprendre mon souffle. D'apprivoiser le vertige de l'air qui s'engouffrait dans mes poumons.

La mer, je la connaissais moins.

Nous sommes partis en vitesse, laissant un mot pour Joy qui dormait toujours. Lily, en pyjama et pieds nus, nous avait suivis d'un pas léger, un morceau de tartine à la main.

Le moteur pétaradait à chaque virage. À la radio, Manu Chao chantait *Clandestino.*

J'ai interrogé Tom sur la fonction des miroirs rectangulaires qui étaient suspendus aux murets, sur le bord de la route.

— Ce sont des rétroviseurs, ils nous permettent d'éviter d'entrer en collision avec les voitures qui arrivent à contresens.

Lorsque deux voitures se croisaient, un des véhicules devait s'immobiliser en rasant l'un des murets. Polis, les chauffeurs se saluaient de la main, d'un mouvement de tête ou d'un appel de phares.

Tom a poursuivi la conversation en me racontant des bribes de sa vie. Natif de l'île, il avait grandi avec la mer. Jusqu'à tout récemment, il donnait des cours de surf à Saint-Ouen. Il connaissait chaque récif de la côte, de même que les courants et l'impact des vents sur les vagues.

— J'ai des amis américains qui font du *wakeboard.* Paraît que c'est populaire sur vos lacs. C'est vrai ?

J'ai dû rectifier le tir, lui expliquer que je ne faisais ni *wakeboard* ni planche à neige ni rien de ce genre. Qu'il ne se méprenne pas, il avait affaire à une vraie débutante.

— Alors, tu fais quoi ?

— Du vélo. À longueur d'année.

— Dans la neige ? Tu n'as pas froid ?

— Il faut superposer les épaisseurs, porter une cagoule. Ce que j'aime le plus, c'est l'effort, donner des coups de pédales contre les éléments, sentir la neige fondre sur mes joues. Ça me défoule.

Tom gardait les yeux sur la route, sourire en coin.

— Et l'été ?

— Du vélo encore. Du kayak, pour être au niveau de l'eau. Je nage aussi. Je n'aime pas vraiment les sports d'équipe.

Il a poussé un grand éclat de rire.

— C'est ta sœur qui va être déçue. Elle se voyait discuter hockey avec toi. Tu sais que pendant les séries éliminatoires, elle peut se lever en pleine nuit pour suivre les matchs ? À ta place, je m'inventerais une nouvelle passion.

À mon tour de sourire. Je ne savais même pas quelle équipe avait gagné la dernière coupe Stanley.

Saint-Ouen, au matin, était sauvage et balayé par le vent. La plage paraissait infinie, et la mer était turquoise, spectaculaire, invitante. J'ai fait un nœud dans mes cheveux avant de m'extirper du camion. D'autres Volks poussiéreuses et couvertes d'autocollants étaient stationnées, portes ouvertes, le long de la plage. C'était l'heure des surfeurs.

Étirant les bras vers le ciel, j'ai inspiré un grand coup. Cette mer me faisait un effet monstre, déliait mon corps de citadine.

La marée était à pleine hauteur, les vagues cognaient contre le *sea wall*. Il fallait attendre. Tom a enfilé sa combinaison marine en saluant d'autres surfeurs qui commentaient les vagues. À mon tour, je me suis mise en mouvement et, au bout de quelques contorsions gênantes, je suis venue à bout de la mienne. Lily est allée rejoindre un groupe d'enfants blonds qui jouaient près d'un camion à crème glacée. Elle aussi connaissait les lieux.

Un escalier en pierres permettait d'accéder à la plage. La rampe de métal était rouillée, rugueuse sous la paume de la main.

Leçon numéro un. La base.

— On va commencer par faire les mouvements hors de l'eau, a lancé Tom. Après, on verra si tu es prête à te mouiller !

Tom a laissé tomber sa planche sur la bande de sable. Il s'est allongé sur le ventre sans s'affaisser, de façon à dégager les bras tout en restant stable, puis il a ramé dans le vide. Il m'a ensuite montré comment franchir les vagues en posant les paumes de chaque côté du torse et en redressant la poitrine.

— Si tu sens que tu tombes, protège toujours ton visage avec tes deux bras. Allez, à toi maintenant.

J'ai reproduit les gestes de Tom, arquant le dos, faisant aller mes bras.

Leçon numéro deux. Le redressement.

— Je te montre, mais c'est purement théorique pour aujourd'hui.

L'exercice se compliquait. Il fallait d'abord reculer sur la planche, autrement on risquait de caler vers l'avant.

Puis, en prenant appui sur les mains, positionner les pieds au milieu de la planche, genoux fléchis, pour ensuite se redresser, les bras allongés. Pas si simple.

— Serre le ventre, rentre le genou vers l'intérieur, soulève le torse, mais garde les jambes fléchies, le regard au-dessus de l'épaule. Tu dois avoir les jambes détendues mais fermes en même temps. Tu comprends ?

J'avais du mal, mais je persévérais. « Espèce d'entêtée ! » aurait dit Luce. Il commençait à faire chaud, et ma combinaison me collait au corps.

— On y va ! a annoncé Tom. Tu es prête.

Il a saisi sa planche et s'est avancé dans la mer jusqu'à la taille. Je l'ai suivi. L'eau froide a pénétré sous la combinaison et a rapidement pris la température de mon corps. J'étais bien.

— Installe-toi, m'a-t-il dit.

Tom n'avait pas le physique type du surfeur de magazine et pourtant, il se déplaçait avec un mélange de force et d'agilité, pleinement à l'aise dans la mer. J'étais en confiance.

Je me suis engagée dans les vagues, à contre-courant. Mes bras travaillaient fort, ramant avec acharnement pour peu de résultats. Je faisais presque du surplace.

Pendant une heure, couchée sur ma planche, je me suis laissée porter et ballotter, tout en écoutant Tom qui m'expliquait que, en reculant sur la planche, on pouvait ralentir, freiner même. Inversement, on accélérait en déplaçant le poids du corps vers l'avant. Il discourait sur les vagues. Les décoder était un art, à mi-chemin entre l'intuition et la technique. Il fallait savoir prendre la bonne au moment opportun, dans la montée cyan, juste avant l'apparition de l'écume. J'ai réussi à en attraper quelques-unes, filant à toute vitesse jusqu'au rivage. Mais je demeurais horizontale, incapable encore de me lever sur la planche.

Le bonheur de glisser sur les vagues valait l'effort demandé pour retourner vers le large.

Lily est venue nous rejoindre avec sa petite planche rose, ses bras menus battant l'air. Son père l'aidait, mais on voyait bien qu'elle savait s'y prendre. Walter faisait la navette, l'œil inquiet, jappant chaque fois que la planche menaçait de renverser.

— Pourquoi il jappe comme ça ?

— C'est un chien de berger. Il te prend pour un mouton, a répondu Tom, placide.

En sortant de l'eau, j'ai senti la fatigue fourmiller à travers mon corps. La mer avait reculé de façon impressionnante, traçant des sillons dans le sable, comme autant de minuscules rivières. Des amas d'algues brunes dégageaient une odeur iodée. Lily sautillait, increvable, à l'affût de trésors. Des rochers pointaient maintenant à la surface de la mer. Il nous a fallu marcher longuement avant de retrouver notre point de chute.

L'ascension de l'escalier m'a semblé encore plus difficile. Le béton chaud appelait mon corps. J'ai résisté à l'envie de m'y allonger et de fermer les yeux un instant.

— Allons manger un morceau, a dit Tom.

Les tables rondes du restaurant faisaient face à la mer. Tom est allé commander notre deuxième déjeuner, un *bacon roll.* « Une addiction », a-t-il précisé. Des mouettes grasses volaient au-dessus de nous. Un filet les empêchait de piquer vers les assiettes. Entre deux bouchées, j'ai remercié Tom pour l'initiation.

— Tu t'en tires bien. Demain, tu pourras tester le redressement.

Je voulais bien aller plus loin dans la mer. M'y perdre un peu.

J'ai demandé à Tom s'il arrivait souvent à Joy de ne pas dormir. Il a hoché la tête.

— Ta sœur est une insomniaque endurcie. Même enfant, le sommeil était une bataille, pour elle. Je pense que la vie d'insulaire la calme. Peut-être bien que moi aussi, je l'aide un peu, a-t-il ajouté doucement.

J'aimais cette façon naturelle, coulante, avec laquelle il disait « ta sœur ».

— Je comprends. Dormir, c'est un peu comme une loterie, ai-je affirmé.

Regard oblique, puis, sur un ton sérieux, il a prononcé mon nom :

— Capucine.

— Oui ?

— Tu es ici chez toi. Reste aussi longtemps que tu veux. Même que j'ai envie de te trouver un vélo.

Un frisson a parcouru mon corps. Parce que sa voix,

encore plus que ses mots, sonnait vraie. Il ne feignait pas la gentillesse, il l'incarnait, et elle débordait, contagieuse. Je l'ai remercié. En guise de réponse, il m'a proposé un second sandwich. J'ai refusé, forcément.

# Les cauris

Allongée dans la chambre turquoise, j'observais Lily qui jouait distraitement avec ses coquillages. Elle avait une belle collection de cauris, ces coquillages fins à l'ornière dentelée, anciennement utilisés comme monnaie d'échange en Afrique. Quand j'étais petite, mon père m'en avait ramené une pleine poignée du Bénin.

La main plongée au fond d'une boîte métallique, elle les faisait cliqueter, soufflant et époussetant pour déloger le sable. La tête inclinée, elle en a sélectionné un au format miniature, l'a fait tourner entre ses doigts puis, à ma grande surprise, se l'est inséré dans le creux de l'oreille gauche, répétant ensuite la manœuvre du côté droit.

— Tu écoutes la mer ? lui ai-je demandé, perplexe.

Elle ne m'entendait plus, enclose dans le cocon que créaient ses coquilles, alors je me suis approchée. Elle avait des oreilles de lutin, fines et pointues, légèrement décollées, qui frayaient leur chemin entre les mèches blondes raidies par le sel de mer.

Des oreilles comme les miennes, qui avaient toujours fait sourire Luce. « En Chine, me répétait-elle, c'est un signe de bonne fortune ! » À l'opposé, ma mère y voyait une tare et envisageait sérieusement l'otoplastie : « Une correction mineure, disait-elle, l'histoire d'une heure, pas plus. »

Et Lily qui avait les mêmes… Un petit bout de moi s'était rendu jusqu'à elle. En fouillant bien, ou encore au fur et à mesure qu'elle grandirait, d'autres similitudes pourraient se manifester. L'ossature, la forme des ongles, l'épaisseur des cheveux, les veines bleutées à la surface de la peau. Je me suis demandé quelle adulte elle deviendrait. Et aussi, ce qui nous unirait.

Lily s'est rendu compte que je l'observais. D'un air coupable, elle m'a fait un sourire complice et m'a tendu deux cauris de taille identique. Sans hésiter, je les ai placés au creux de mes oreilles. Ils formaient ainsi des bouchons à la carapace lisse qui filtraient l'air et reproduisaient le bruit des vagues. L'effet était pas mal.

— Ne bouge pas, on va faire une photo, ai-je dit en saisissant mon appareil sur la table de chevet.

J'ai zoomé sur son oreille gauche.

Puis, les coquillages ont roulé sur le tapis, se sont dispersés dans la pièce. Lily, déjà, dévalait l'escalier, décidée à m'entraîner dans un nouveau jeu. Nous sommes sorties dans le jardin.

Dehors, des maillots de bain séchaient au vent. Le temps s'était ennuagé.

— Lily, est-ce qu'il neige sur ton île ? lui ai-je

demandé une fois dehors, pendant qu'elle dénichait un ballon.

— L'année dernière, il a neigé le jour de ma fête.

— Ah bon ! Tu as pu jouer ? Faire un bonhomme de neige ?

— Non. Mes gants étaient trop mouillés. On n'a pas pu prendre la voiture pour aller chez mamie.

— Il t'aurait fallu de vraies mitaines et des pneus d'hiver pour la Volks. C'était beau, au moins ?

Haussement d'épaules.

Je l'ai imaginée dans un habit de neige, soufflant des ronds de buée froide avec la bouche. Je me prenais souvent à la mettre en scène dans mon paysage. Petite créature aquatique hors de l'eau.

J'ai donné un coup de pied dans le ballon, un botté mal maîtrisé. Il a volé dans les airs avant de s'écraser sur la tôle du poulailler. Panique et effroi parmi les poules. Rire rauque de Lily.

## Saint-Ouen III

Dimanche matin, alors que le vent se levait, nous sommes retournés à Saint-Ouen. En prévision d'un départ matinal, Tom avait préparé un pique-nique la veille, chargé les sacs de plage et solidifié l'attache des quatre planches sur le toit de la Volks.

— Tu as mal ? m'a-t-il demandé, voyant que je me massais la nuque.

— Un peu.

— Tu auras encore plus de courbatures demain ! On va étirer tout ça en arrivant.

Cette fois, Joy est venue avec nous, et je me suis installée sur la banquette arrière avec Lily et Walter. Fenêtres baissées, le bruit du vent et celui du moteur enterraient les conversations. Se retournant vers moi en riant, Lily a hurlé : « Il y a de l'air dans mes trous de nez ! » Son rire a fait bondir mon cœur de bonheur.

La route des Mielles, dépouillée, brute, longeait la mer. Des herbes hautes de couleur jaune paille balayaient l'air près des marécages, et quelques chênes verts rabougris semblaient avoir été façonnés par le vent, courbant le dos, inclinés à tout jamais.

Le matin était frisquet mais ensoleillé, et le stationnement était presque vide. D'instinct, j'ai eu envie d'avancer dans la mer, de me dissoudre dans la ligne d'horizon, happée.

Cette fois, j'ai utilisé une planche pour débutants, longue et large. On aurait dit un autobus. « Tu seras plus stable », m'a assuré Tom, qui a ensuite repris pour moi les notions de base, en ajoutant de la matière nouvelle.

— Quand je te dis d'y aller, tu rames le plus vite que tu peux en comptant les secondes. Au bout de sept, tu te redresses et tu essaies de tenir.

— Pourquoi sept ?

— Pour te donner le temps de prendre de la vitesse.

Il m'a guidée à travers les vagues vers un endroit sécuritaire où je ne risquais pas d'entrer en collision avec quoi que ce soit. Avec ma planche-autobus, il était encore plus ardu de franchir la barrière des vagues pour remonter vers le large. Tom tirait d'une main pour m'aider à avancer. J'attendais patiemment qu'il me donne le signal, concentrée.

La première tentative a échoué. Puis la deuxième. Et plusieurs autres encore. Je n'arrivais pas à soulever mon corps assez vite ni à prendre la bonne position, et encore moins à tenir. Chaque fois, je basculais, fâchée. L'eau entrait dans ma bouche et dans mon nez, mon corps était bousculé par le ressac, se heurtait contre le plancher de sable. J'ai avalé des litres d'eau, sentant la corde de la planche tirer sur ma cheville. Les vagues prenaient de la force, et revenir vers le large était chaque fois plus essoufflant.

— Tu comprends pourquoi tu tombes ? m'a demandé Tom.

— Les pieds ?

— Exactement. Tu dois te positionner en plein centre de la planche, sans regarder tes pieds. Le regard droit devant toi.

Tom m'a incitée à faire une pause pour reprendre mon souffle. Assise, les pieds ballottés par la vague, j'étais concentrée sur la mer, le remous sous moi, attendant patiemment une courbe parfaite.

— Il ne faut pas te presser, c'est un truc de longue haleine.

Au bout d'un moment, Tom m'a adressé un hochement de tête. Une vague prenait forme. Difficile d'en mesurer la taille. Tom m'a dit d'y aller, de ramer fort et vite.

J'ai reculé mon corps sur la planche, me suis agenouillée d'un bond, puis je me suis redressée, les pieds enracinés, l'équilibre dans mon ventre. J'ai tenu debout un moment, quelques secondes à peine, le temps de sentir en moi un soulèvement. Puis, je me suis jetée à l'eau avant d'atteindre le rivage. Cette victoire sur moi-même était petite, mais significative. J'avais une envie furieuse de recommencer. Lily et Joy applaudissaient. Le chien aboyait, les pattes dans l'eau.

J'ai réussi à prendre encore quelques vagues, de petites vagues que Tom choisissait. Il travaillait tout autant que moi. Entre deux chutes, je me donnais le temps de reprendre mon souffle, en appui sur la planche. Je ne sentais pas le froid, j'aurais pu continuer, mais Tom a insisté pour que je sorte de la mer.

— Prends le temps de t'étirer, principalement les muscles des bras, du cou, du dos. Tu sais comment faire ?

— Oui, ça ira.

Le vent me fouettait. Une goutte de sang perlait sur mon gros orteil écorché. Je me suis laissée choir contre les remparts pour sécher au soleil, enveloppée dans une épaisse serviette. La pierre était chaude.

Lily, à mes côtés, avait enfilé un peignoir en ratine rose qui donnait envie de la cajoler comme un ourson en peluche. La marée avait creusé une rivière translucide à nos pieds, suffisamment profonde pour que la petite s'immerge en entier.

Tom et Joy se sont éloignés vers le large dans une série de manœuvres fluides, plongeant avec leurs planches sous les vagues. Ils sont devenus deux points au loin, parmi les surfeurs d'expérience. Ils sont restés assis un long moment, laissant passer les vagues vaines. D'où j'étais, elles m'apparaissaient puissantes, portées par le vent du nord-est. Nouveau soulèvement en les voyant se redresser, avancer en zigzaguant, joueurs, devançant la vague grossissante. Malgré moi, mes lèvres ont formé un sourire généreux, large, un peu béat, genre imbécile heureuse.

En sortant, Joy s'est dirigée vers la douche extérieure qui jouxtait le café, retirant sa combinaison sous le jet froid, rinçant à grande eau sa peau allergique à laquelle le sable adhérait, comme autant de minuscules agressions. Elle s'est séchée avec vigueur avant de disparaître sous un coton ouaté délavé aux manches trop longues.

Je lui ai demandé comment elle arrivait à surfer malgré sa peau sensible.

— Il faut que je me crème partout, même sur les paupières, mais ça peut attendre le retour à la maison.

De mon côté, ma peau s'adaptait plutôt bien, elle commençait à foncer timidement, les taches de rousseur se multipliaient. Je pouvais imaginer le chant cacophonique qu'auraient fait entendre mes tantes, extasiées devant ce teint caramel.

Cette nuit-là, j'ai dormi d'un sommeil de cimetière. Lessivée. Vaincue par la mer.

# Au gré des marées

Comme promis, Tom avait rafistolé un vieux vélo de course aux couleurs toniques qui prenait facilement de la vitesse. Je partais seule sur les allées vertes, les *green lanes,* soufflant comme une forcenée dans les pentes raides sans fin, la tête baissée, concentrée sur le mouvement du pédalier. L'air ici ne retenait pas l'humidité, cette sorte de chaleur saturée et sale de la ville. Ainsi, je pouvais rouler lentement sans me fatiguer.

Les couleurs de l'île s'imprimaient en moi, tous les camaïeux de bleu, de vert, de terre et les taches franches des fleurs sauvages. La même mousse ocre que celle qui poussait en grappes sur l'ardoise du toit de ma sœur recouvrait les rochers et les pierres d'une fine poussière chatoyante. Une autre sorte de mousse, un humus vert et tendre, tapissait le sol par endroits. Je m'y massais les pieds.

Nous étions retournés surfer plusieurs fois, et mon corps s'habituait aux efforts déployés pour maîtriser la mer. Des hématomes couvraient ma peau, mais les courbatures semblaient vouloir s'estomper. J'avais de moins en moins mal. Mes bras ramaient avec énergie et contrôle, ils m'amenaient plus loin, plus vite. Mes cheveux avaient une nouvelle texture, alourdis par le sel, gommés. Ils s'enroulaient en chignon et tenaient en place sans l'aide d'un élastique.

Ma combinaison de néoprène était devenue comme une deuxième peau, une couche supplémentaire pour protéger mon épiderme. Elle aplanissait les angles et les rondeurs, permettant les contorsions, la liberté de mouvement et un certain anonymat qui n'était pas pour me déplaire. Bientôt, m'avait dit Tom, je pourrais utiliser une planche intermédiaire.

Tom faisait de moi son élève. Chaque matin, je l'écoutais me lire les informations maritimes. J'en apprenais sur le marnage, l'amplitude des marées, la force des vents. Six nœuds, excellent pour le surf ; vingt-cinq nœuds, pas la peine d'essayer. On en faisait un jeu :

— Marée haute à 8 h, vents du sud-ouest, dix nœuds.

— La Rocque ?

— Un bon plan pour la pêche, mais ça fait loin. Sinon, Rozel ou Saint-Aubin.

À marée haute et à marée basse, l'île de Jersey était comme deux pays distincts. Là où il y avait des tonnes d'eau, on trouvait plus tard des kilomètres de plages trouées par de vastes et complexes chemins rocailleux, des ponts vers des phares et des tours de garde.

J'ai questionné Tom sur les écueils découverts par la marée basse à Saint-Ouen.

— On les appelle les pierres de Lecque. Elles servent de pouponnière pour les poissons. La tour que tu vois là-bas s'appelle La Rocco. Elle a été construite au temps de la guerre civile anglaise.

Je passais des heures à explorer, avançant avec précaution entre les algues odorantes, faisant voler les nuées d'oiseaux qui s'y nourrissaient, comme les jolis bécasseaux au plumage argenté et au bec allongé.

Il y avait quelque chose de familier au fond de ces crevasses qui regorgeaient de vie. Comme sur les berges du Bic, je retournais les roches à la recherche de coquilles et de crustacés alors que le vent du large charriait de grandes bouffées d'oxygène.

La main de Lily s'agrippait à la mienne durant mes balades. Elle collectionnait toutes sortes de bestioles, les débusquait derrière les roches et dans le sable, cueillait les escargots comme on tire sur une ventouse, s'y prenait sérieusement, sans mièvrerie. Les crabes pouvaient se débattre dans leurs seaux de plastique, s'affronter jalousement, se faire démembrer, elle demeurait stoïque. Elle manipulait les bestioles qui, oubliées en plein soleil, se desséchaient. Les crevettes se mettaient à puer, les poissons à flotter à la renverse.

À force d'arpenter les plages, je sentais la corne recouvrir la plante de mes pieds. Je m'acclimatais. Je respirais à grands coups l'air alcalin, coursant avec Walter sur la plage entre les tortillons laissés par les vers de sable.

Distinguer les îles de la Manche, Guernesey, Sercq,

Herm et Aurigny, était un autre de mes jeux. Par beau temps, il devenait possible de suivre le tracé de la côte française, qui se découpait à moins de trente kilomètres.

En parcourant le littoral, je songeais que moi aussi, à La Pocatière, j'aurais mon propre chemin vers l'eau.

## Jouer la comédie

Contre toute attente, Solange s'était créé une adresse courriel.

Elle m'envoyait régulièrement des messages. Fidèle à elle-même, elle racontait des anecdotes, me parlait de la température de la piscine d'Emma, de l'achalandage estival au salon de beauté, de l'achat d'un parasol pour la terrasse.

Cette détermination à noyer le poisson me sidérait.

Je soupirais en voyant ses messages s'afficher : *Coucou ! Bonne nouvelle !* Je ne la lisais pas toujours jusqu'au bout.

Un jour, cette question absurde : *As-tu reçu des compliments pour ton bikini ?*

Je reconnaissais bien ma mère et sa manie de faire mille détours pour en apprendre plus sur ma vie.

Alors, je jouais le jeu. Je faisais comme elle et j'écrivais des banalités : il fait soleil, la mer est belle, je fais du surf.

Au fond, elle devait s'inquiéter. Je l'imaginais seule à la maison, en train de s'activer au son de la radio. Il devait lui falloir beaucoup de bruit pour continuer à agir comme si rien n'avait changé. Encore une fois, elle faisait l'autruche, et je n'avais pas le courage de l'obliger à sortir du trou dans lequel elle s'était réfugiée.

# Saint-Aubin

Par un lundi frisquet, Joy m'a emmenée marcher le long de la baie de Saint-Aubin. Ce matin-là, ma sœur s'était levée avec un air déçu d'elle-même : « Insomnie », avait-elle résumé. Ses humeurs fluctuaient au rythme de la température, comme les grandes marées. En cela, elle ne ressemblait ni à ma mère ni à mon père.

Sur la plage, les nuages étaient orageux. Joy s'interrompait régulièrement pour ramasser des pierres blanches et rondes, semblables à des bonbons à la menthe cristallisés, si belles que j'étais tentée de les goûter.

J'aimais aussi les galets noirs et ovales, qui luisaient lorsqu'ils étaient mouillés par la mer et devenaient chauds quand le soleil les séchait. J'en retrouvais toujours un ou deux au fond de mes poches.

— En fait, Solange t'a élevée seule ? m'a lancé Joy en contournant un rocher.

Je ne l'avais pas vue venir, celle-là.

Elle a insisté :

— Au quotidien, quand même, c'est ta mère qui a assuré ?

Dans son esprit, un scénario semblait s'être dessiné. Elle avait attribué les rôles : Armand le mauvais père, Solange la victime, et moi, la fille sans cœur. J'ai apporté quelques nuances.

— C'est vrai qu'il n'a pas été souvent là, et encore moins au quotidien, mais je ne le déteste pas, ai-je rectifié.

— Même pas un peu ?

Est-ce qu'on pouvait détester « un peu » son père ? Dans mon cas, le terme était trop fort. Armand n'était pas irréprochable, mais, dans ses absences, il était constant, il était lui-même.

— Ce n'est pas tant une question de rancune que d'habitude. Mon père a toujours été comme ça, c'est-à-dire loin, parti, en voyage… Je n'ai jamais connu autre chose, ce qui fait que je ne suis ni nostalgique ni déçue.

Joy ne disait rien. J'ai poursuivi :

— Il y a aussi que Solange ne s'est jamais plainte de lui. Jamais, ai-je répété, prenant moi-même conscience de cette vérité. Il existe un lien entre eux. Tout petit, invisible, mais il y a quelque chose quand même. Une forme de respect mutuel, une zone sans jugement.

J'ai hésité avant de poursuivre :

— Maintenant que je sais que tu existes… que je connais le secret qu'ils cachaient, ce lien, je le comprends mieux.

Ma sœur s'était arrêtée de marcher, creusant le sable de ses pieds nus.

J'ai eu envie de parler de Luce.

— C'est Luce qui m'a fait voyager le long du fleuve, d'une rive à l'autre. En août, toujours, lorsque la température de l'eau devient supportable, poussant plus loin d'année en année. Avec elle, j'ai vu mon premier béluga. En riant, ma grand-mère a dit que c'était un coup de Notre-Dame-du-Saguenay. Et pour bien faire, nous sommes allées la saluer, Notre-Dame, grimpant jusqu'au sommet du cap Trinité. Un bon deux heures de marche. Elle est infatigable, cette femme.

Luce qui, à chacun de nos voyages, se faisait un rituel de s'immerger dans les eaux glacées comme elle l'aurait fait dans un bain tiède. « Un gage de longévité », répétait-elle. Elle aurait adoré l'île de ma sœur.

— Luce, elle occupe quelle place dans ta vie ?

— Luce, c'est ma vraie famille ! Avec mon père et ma mère, ça a toujours été plus compliqué.

Mes réponses sonnaient creux. J'étais tentée de m'excuser. Mais alors, la voix de Luce me revenait, et je me raisonnais : « Tu fais comme tu le sens, tu fais ton possible. »

Préférant changer de sujet, je l'ai questionnée sur sa famille :

— C'était comment, grandir à Liverpool ?

Elle a décrit la ville comme étant en « mal de vivre », un horizon de maisons en briques rouges cordées comme du bois de chauffage : *a shithole !*

Cela me rappelait la banlieue montréalaise, la terre

des Pellerin. Je lui ai parlé de ma hantise de l'eau chlorée, des discussions stériles, des virées au centre commercial, de la lumière glacée des néons et de l'air conditionné.

Elle comprenait.

Devant nous, la mer était haute et agitée en cette fin de journée, frappant contre les falaises qui se dessinaient à notre droite. Un plongeon de là-haut et c'en était fait.

— Capucine, c'est aujourd'hui que je t'emmène sauter, a annoncé Joy en relevant la tête vers moi, frondeuse, à la manière de sa fille.

J'ai regardé la mer qui tonnait, puis ma sœur, et j'ai acquiescé de la tête.

Nous avons regagné le stationnement et roulé jusqu'à Bonne Nuit.

Après avoir stationné la camionnette, Joy s'est faufilée à l'arrière pour retirer ses vêtements et enfiler sa combinaison marine. J'ai fait de même, un peu gênée par sa nudité. Le ciel s'était dégagé. Quelques rayons réchauffaient l'air, mais il ne faisait pas chaud. Il n'y avait qu'un couple de pêcheurs sur le quai.

J'ai eu le vertige en parcourant la distance des yeux. J'ai suivi ma sœur sur la rambarde, le vent du nord poussant contre mon dos. Mon cœur n'avait jamais battu aussi rapidement. J'ai compris qu'il fallait agir vite, sans réfléchir. Surtout ne pas prêter l'oreille à mon instinct qui me hurlait de reculer.

— Tu me dis quand tu es prête.

Le vent me fouettait et je n'osais pas regarder en bas.

C'était maintenant ou jamais. J'ai hoché la tête, imperceptiblement. Joy a saisi ma main, a compté jusqu'à trois.

— MAINTENANT !

Nous nous sommes élancées. Mon cœur battait à tout rompre. J'ai eu peur qu'il explose.

Mon corps a rencontré la mer violemment, comme une pierre coulant à pic, brassant l'eau, multipliant les bulles autour de moi. La pression a bouché mes oreilles et a compressé mes poumons. Ma combinaison s'est gonflée comme un parachute. Je suis remontée à la surface avec effort, la tête cherchant l'air. Ma bouche grande ouverte a aspiré une bouffée d'oxygène, soufflé pour extirper l'eau qui s'était infiltrée partout, crachant, mouchant. Mais j'étais en vie, plus que jamais, l'adrénaline circulait dans mon sang comme un train à pleine vitesse.

Tête à tête heureux avec Joy dans la mer froide en faisant des moulinets énergiques avec les jambes.

— Tu veux recommencer ?

J'ai dit oui sans hésiter.

# Abidjan

Ce soir-là, alors que la mer frémissait encore sous ma peau, j'ai reçu un message de mon père. Il brassait les cartes à distance.

*Bonjour Capucine,*
*Je t'écris d'Abidjan. C'est bon de revenir en Afrique de l'Ouest. Ça me change des zones de guerre !*
*Tu me parlais de mon nez à l'aéroport. Quand ta mère était enceinte de toi, elle priait pour que tu n'en hérites pas. Pourtant, pour un nez de Leclerc, le mien est plutôt bien proportionné. Il faut que tu saches que je viens d'une longue lignée d'appendices d'exception : difformes, rougeauds, éléphantesques, poreux, striés de veinures et de poils indisciplinés. Il y a dans cette famille de véritables pièces de collection ! C'est vrai que le mien est gros, capricieux et réactif, mais il y a bien pire. Une information qui intéressera certainement Joy.*
*Salutations d'Abidjan,*

*Armand*

À nouveau, il me prenait de court. Armand Leclerc, tel que je le connaissais, n'était pas fort en humour. Il ne parlait jamais de lui. Et il ne perdait certainement pas son temps pour m'attraper entre deux vols dans un aéroport international.

J'ai répondu de façon impulsive :

*Belle leçon de généalogie ! Voici l'adresse de Joy. Salutations de Jersey.*

En cliquant nerveusement pour envoyer le message, j'ai fait tomber tous les crayons de couleur de Lily.

— Tout va bien ? a demandé Joy en se penchant pour m'aider à ramasser.

Je n'avais aucune réponse à lui offrir alors je lui ai fait lire le message d'Armand. Ma sœur a parcouru le texte rapidement avant de repousser le clavier d'un geste exaspéré.

— *Bloody hell !*

Sans prévenir, je me suis mise à pleurer. Une peine d'enfant, soudaine et monstrueuse. Un instant plus tôt, je lui trouvais des qualités, à mon père absent, je le défendais presque. Joy avait raison pourtant. Il y avait bien un fond de colère en moi.

J'ai décidé de parler à Joy de la présence de mon père à l'aéroport. Elle a froncé les sourcils, ce qui, ironiquement, la faisait ressembler à Armand.

Elle m'a emmenée vers le jardin, pour que nous puissions discuter tranquilles. Au passage, elle a attrapé sa bouteille de bière qui tiédissait sur la table de la cuisine, en a bu deux petites gorgées. Dehors, il faisait frais.

— Tu sais, j'ai hésité pendant des années à entreprendre des démarches pour retracer ma mère biologique. J'étais tout le temps tiraillée. Un jour, je me disais que non, je n'avais pas besoin de savoir, et un autre, je m'imaginais en train de vivre des retrouvailles comme dans les films, m'a-t-elle dit avec un sourire gêné.

— Qu'est-ce qui t'a décidée ?

— La maternité. Je voulais pouvoir expliquer mon histoire à ma fille.

Elle m'a tendu la bière et a continué :

— Quand j'ai su que mes parents habitaient Montréal, et qu'ils avaient eu une autre fille, ma première réaction a été la colère. J'étais furieuse. Pourquoi est-ce qu'ils t'avaient gardée, toi, et pas moi ? Qu'est-ce que j'avais bien pu leur faire ?

Je buvais, envahie par un terrible sentiment de culpabilité. J'aurais voulu disparaître pour cesser de lui rappeler tout ce qu'elle n'avait pas eu. Je crois qu'elle s'en est rendu compte.

— Mais le travailleur social m'a aidée à démêler mes émotions.

La bouteille était presque vide. Je l'ai rendue à ma sœur, qui m'a adressé un autre sourire triste.

— Heureusement que tu es là…

Une larme s'est échappée d'un œil, puis de l'autre,

égalisant le flot. Les yeux de ma sœur ont rougi et gonflé en une seconde.

— Ça fait mal ?

— Quoi ?

— Là, tes yeux ?

— Ça ira. Il ne faut pas que j'y touche… Il faut surtout que j'arrête de pleurer, a-t-elle dit en terminant sa bière d'un trait.

— Je ne sais vraiment pas ce qui se passe avec Armand. Je n'ai aucune idée de ce qu'il ressent, de ce qu'il veut. Mon père…

Inutile. Je ne savais pas bien parler de mon père.

— Ça va aller, Capucine. Tu sais, j'en ai un, père. Un bon père, en plus, a tranché ma sœur.

Contrairement à Armand, ai-je décodé. Elle ne pleurait plus.

Nous avons ouvert une bouteille de vin que nous avons bue en entier. Joy buvait vite. Je suivais, plus lentement. Je n'avais pas vraiment l'habitude, et la tête me tournait.

La lune blanche et ronde éclairait la terrasse. J'ai osé une ultime question.

— As-tu envie d'écrire à Armand ? Parce qu'au fond, son courriel s'adresse à toi.

Elle a hésité.

— Tu es là, ça me suffit pour l'instant.

Je n'étais pas certaine que ce soit vrai, mais la nuit était douce et j'étais ivre.

Avant de monter me coucher, je suis retournée devant l'ordinateur. J'ai écrit un mot à ma grand-mère et je lui ai transféré le message d'Armand.

# Mal de bloc

Un mal de tête m'a réveillée à l'aurore. Lily dormait en étoile, les draps roulés en boule au pied du lit. Walter a dressé la tête pour la forme, puis s'est rendormi. En quête d'un remède, d'eau et d'air frais, je suis sortie à l'extérieur. Les poules, immobiles, s'étaient creusé un trou dans la terre pour dormir. Les tournesols avaient profité de la nuit pour pousser. Ils masquaient la vue, formant une clôture colorée autour de la terrasse. Je m'y suis réfugiée un moment avant d'aller consulter mes courriels.

Luce avait répondu.

*Salut ma puce,*

*À propos du message d'Armand, je pense qu'il faut essayer de lire entre les lignes. Ce drôle de message va au-delà de l'anecdote. C'est une tentative, maladroite, partielle, à la manière d'Armand, mais une tentative néanmoins, de te dire que, lui aussi, il est remué par ces retrouvailles entre Joy et toi.*

*C'est triste, mais il n'y a rien d'autre à faire que de le lais-*

*ser aller. Armand est comme ça, il s'est emmuré quelque part, il ne sait rien faire d'autre que de travailler.*
*Moi aussi, en ce moment, je réfléchis beaucoup. Je me dis que nous formons une curieuse famille ! Une famille rapiécée, un maillage complexe fait d'étoffes éparses, usées, et parfois jolies, comme ce lien qui se tisse avec ta sœur.*
*Je voulais te dire qu'en fouillant dans la cave j'ai retrouvé une affiche bien conservée du* Calypso, *le navire du commandant Cousteau. Avant de devenir diplomate, ton père a suivi des cours de biologie. Le savais-tu ? Je te garde l'affiche. Tu pourras l'apporter avec toi à La Pocatière.*
*La librairie va bien. Moi aussi, même si je m'ennuie de toi.*
*Quel été !*
*Passe le bonjour à ta sœur.*

Mon mal de tête ne me quittait pas. Je m'enfonçais. La meilleure chose à faire était de retourner au lit.

## Plemont

Une sensation humide sur ma joue. J'ai ouvert les yeux avec étonnement, arrachée par des coups de langue à un pays lointain. Merci, Walter ! J'avais rêvé d'un paquebot et d'une mer noire.

— Réveille-toi, viiiiite ! a crié Lily, le visage penché sur moi.

— C'est bon, Lily, je me lève. Il est tard ?

— L'heure de partir, a-t-elle chantonné.

À la cuisine, ma sœur avait la même tête que moi : amochée. Elle m'a tendu un thermos rempli de thé chaud.

— Le moteur est en marche…

Le plan, c'était d'arriver à Plemont avec la marée descendante, avant que les rares places de stationnement se remplissent. Située à la pointe nord-ouest de l'île, Plemont était une plage compliquée, isolée. Y aller demandait une certaine préparation, mais la récompense était belle.

La route de Vinchelez croisait celle de Plemont qui serpentait dans les terres, donnant l'impression de pénétrer dans les tréfonds de l'île, de s'enfoncer dans son cœur. Le chemin s'arrêtait net, au milieu de champs sauvages, bien avant la côte qu'on pouvait rejoindre uniquement à pied.

Nous avons emprunté un sentier escarpé, les mains chargées, parce qu'une fois en bas, on ne remontait pas !

Avant d'atteindre la plage, il y avait un café, perché au creux de la falaise, qui offrait une vue vertigineuse sur l'océan. La marée amorçait tout juste sa descente. Impossible pour l'instant d'accéder à la plage qui était entièrement submergée. On en avait pour un moment à attendre. J'ai commandé un *English Breakfast.* Joy a pris la même chose. Comme il était presque midi, Tom a ajouté une bière. Lily s'est enfilé des gaufres au chocolat et à la crème fouettée.

De la table du restaurant, je pouvais effleurer du regard les montagnes vertes et fleuries. Avec un pincement au cœur, j'ai pensé que, dans moins d'une semaine, j'allais devoir quitter cette île paradisiaque. Ma place sur le traversier ainsi que mes billets de train et d'avion était déjà réservés.

Le regard de Joy était posé sur moi. Des yeux vert forêt sous une flambée rousse. Ma sœur était un paysage d'automne qui faisait écho au mien.

— On peut y aller ? a demandé Lily au bout d'un moment, en voyant que la mer reculait.

Nous sommes descendus jusqu'à la plage par un

long escalier métallique. La fatigue s'est envolée avec le vent qui soufflait fort.

La plage était parcourue de rivières et de piscines translucides qui cheminaient jusqu'à un réseau de cavernes. La mer me lançait des appels de phares. Je me suis jetée à l'eau.

Allongée sur un *boogie board*, j'ai joué avec les vagues. Contrairement au surf, je n'avais aucun effort à déployer. La tête au neutre, je prenais de la vitesse et j'éprouvais un sentiment d'ivresse, comme des bulles qui montent et pétillent.

Sur le rivage, Lily s'impatientait, m'envoyant des signes de la main. Je suis allée la rejoindre. Nous avons joué ensemble, avons construit un énorme château de sable, l'avons recouvert de coquillages nacrés et d'algues. Du bout des doigts, je m'amusais à faire exploser leurs cloques gorgées d'eau. Ensuite, la petite m'a entraînée au fond d'une caverne aux parois suintantes où était prétendument caché un trésor.

Nous avons escaladé les roches à l'ouest de la plage, pieds nus, face au large, nous imaginant pirates.

Au retour, couchée sur le ventre, j'ai fermé les yeux et j'ai dormi une bonne heure. Lily, tout contre moi, s'est endormie elle aussi, à bout de forces.

Et puis, en un clin d'œil, c'était déjà presque le soir. La *golden hour*. Le littoral changeait sous nos yeux, annonçant l'heure du départ. Nous sommes restés perchés sur les grosses roches qui jouxtaient l'escalier pour observer le spectacle, la métamorphose de la mer qui prenait de l'amplitude, montait haut. Les vagues venaient se briser près de nous, recouvrant nos peaux d'embruns salés. Le soleil, bas dans le ciel, était dans un angle parfait pour me chauffer les épaules et la nuque. Mon cœur s'est gonflé de bonheur.

— Je pense que je vais plonger, a dit Tom à l'intention de ma sœur, qui s'est contentée de hausser les épaules.

Tom a mis un masque, un tuba et des palmes avant de sauter à l'eau avec précaution. Ça se voyait qu'il prenait plaisir à nager dans l'agitation. Il savait y faire. Lily suivait son père des yeux en grignotant un morceau de fromage.

Avant de s'asseoir dans la camionnette, ma sœur s'est retournée vers moi :

— C'était une belle journée, hein ?

J'avais un peu envie de pleurer. La fatigue, probablement. J'ai caressé le chien en attendant que l'émotion se dissipe.

# Crab Shack

Un fard à paupières doré réchauffait le regard de Joy. Pour l'occasion, elle avait aussi mis du rouge sur ses lèvres. À son cou pendait la croix en or de Solange. Je n'ai posé aucune question, mais j'ai pensé si fort à ma mère que j'ai cessé de respirer.

— Maman, tu peux me maquiller aussi, s'il te plaît ? a supplié Lily en s'accrochant aux mailles du chandail de sa mère qui cherchait avec désespoir une paire de chaussures pour la soirée.

— Lily, je n'ai pas le temps, demande à ton père.

Je suis allée attendre ma sœur dans la camionnette. Elle n'a pas tardé à m'y rejoindre, bondissant sur son siège.

Joy faisait la conversation en conduisant, étrangement volubile. Un effet du bijou peut-être ? Et si Solange l'avait traficoté, s'était mise au vaudou ?

— Ça va ? a-t-elle demandé.

J'ai opiné de la tête, menteuse, avant de me sentir partir dans tous les sens alors que la camionnette faisait une embardée à gauche.

— *Silly duck!* s'est exclamée ma sœur, qui venait d'éviter de justesse un canard en train d'amorcer une traversée insouciante.

Nous avons roulé plus doucement, nous enfonçant à la brunante dans un dédale de petits chemins pour rejoindre la côte de Gorey. Une côte abrupte, piquée d'amoncellements de roches pointues, épineuses, de galets et de cailloux. Le point culminant était le château de Mont-Orgueil, éclairé par un jeu de lumières vertes qui l'enveloppait d'une aura de mystère.

Joy a coincé la camionnette entre deux voitures, montant la roue avant sur le trottoir.

— Par ici, m'a-t-elle dit en m'entraînant dans une minuscule rue en pente qui s'appelait « la p'tite ruelle du Muchie ».

Ses yeux poudrés scintillaient. Il fallait bien admettre que ma sœur était belle comme ça, même si je la préférais au naturel.

La terrasse du Crab Shack donnait sur un petit port de mer. Un paysage de carte postale. Le château dominait, avec ses remparts, ses parapets, ses tours. Mais, face à moi, il y avait ma sœur qui portait le bijou de ma mère. Mon regard y était aimanté.

Le premier verre est descendu en deux temps. Je buvais le vin blanc en assoiffée. Joy a commandé un plateau de fruits de mer.

J'ai enfilé une série d'huîtres, me délectant de leur goût minéral. La mer jusqu'au fond de l'estomac.

— Tu savais que deux baleines peuvent voyager ensemble, migrer d'une mer à l'autre, même en étant séparées par des kilomètres de distance ? Elles émettent des sons et des fréquences indétectables pour l'oreille humaine, et ça leur permet de ne pas se perdre. C'est leur secret, leur super pouvoir. La communication acoustique. C'est fascinant, non ? ai-je dit.

— Une communication silencieuse.

— Exactement.

Ses yeux verts m'ont happée. Je me sentais proche d'elle. J'aurais aimé pouvoir rester sur son île, faire ensemble ce que font les sœurs, boire un café le dimanche matin, fêter nos anniversaires.

— Il faudra apprendre à communiquer comme tes baleines, découvrir de nouvelles fréquences, a-t-elle dit.

— Oui, ai-je soufflé en pensant qu'on y était presque.

J'ai hésité avant d'ajouter :

— Le voyage se fait aussi en sens inverse, tu sais. Tu pourrais venir chez nous.

— Un jour, sûrement. J'aimerais bien découvrir le pays d'où je viens et rencontrer Luce. Mais ça ne presse pas…

Je me suis imaginée aller observer les baleines avec ma sœur, lui faire respirer la résine des conifères, gravir les rochers gris. Luce serait enchantée, mais il y avait Solange, Armand, les tantes. Comme autant de pièges difficiles à contourner.

Mon regard s'est posé à nouveau sur la croix de ma

mère : « Elle te va bien », ai-je fini par dire. C'était vrai. À son cou, le pendentif avait quelque chose de léger, d'aérien.

— Je me dis que Solange me tend la main. Armand aussi, d'une certaine façon, avec ses messages alambiqués. On verra, a-t-elle conclu, la tête penchée vers le bijou.

— On verra, ai-je répété.

## Tempête transatlantique

Un vent chaud soufflait sur l'île, des bourrasques du sud qui poussaient de grosses formations de nuages gorgés d'humidité. On se serait cru dans les Caraïbes. Du jamais vu, de l'avis de Tom.

L'ouragan avait pris forme en Floride. Devenu tempête, il s'était abattu sur les côtes de l'Amérique du Nord puis, poussé par les vents chauds d'août, il avait traversé l'Atlantique pour rejoindre la Manche. Le foutu Gulf Stream ! Au Québec et dans les provinces maritimes, il y avait eu des ravages : pluies abondantes, inondations, glissements de terrain, pannes d'électricité.

— Tu veux appeler Luce ? a demandé Tom.

— Plus tard, oui.

Je ne m'inquiétais pas pour elle. À Montréal, il avait dû n'y avoir que de grosses averses. Rien pour arrêter ma grand-mère, qui adorait regarder la pluie tomber, bien à l'abri sous l'auvent de sa véranda. J'étais convaincue qu'elle savait que la tempête avait rejoint les îles anglo-normandes.

Après une série de consultations téléphoniques, Tom a annoncé qu'il fallait aller voir la côte.

— Chester dit que les vagues sont magnifiques, comme dans le Pacifique. Il faut y aller maintenant, parce qu'à partir de midi, ça risque de se gâter, a-t-il ajouté, à la fois excité et méfiant.

Il a vérifié trois fois qu'il avait bien sa Pagette de travail, la déplaçant chaque fois, la faisant passer de son sac à dos à son imperméable, puis finalement à la poche arrière de son bermuda. Il risquait d'être appelé à tout instant pour parer aux urgences sur l'île. Cette météo inhabituelle promettait de laisser sa marque.

La camionnette tanguait sur la grande route de Saint-Jean. Les arbres ployaient, une feuille s'était engouffrée à l'intérieur par la fenêtre entrouverte, le vent sifflait à nos oreilles, assourdissant.

Sur la plage, mes cheveux volaient dans tous les sens, je sentais mon corps se tendre comme les herbes hautes et folles de Saint-Ouen. La mer semblait désordonnée, battante. L'écume blanche dansait, formant un vaste couvert à la surface de l'eau, signe de la force du courant. Il faisait étrangement chaud.

Lily a renoncé à la mer. Trop dangereux. Elle est allée courir avec Walter et un labrador aux poils caramel qui traînait dans le coin.

Surveillant les vagues, Tom a rejoint ses amis devant le café. Ils ont discuté un moment, puis il est revenu vers nous avec un plan.

— D'ici une petite demi-heure, on pourra tenter d'y aller. Il faudra viser le nord, en nageant en diagonale.

— J'y vais aussi, ai-je lancé, avec une détermination qui m'étonnait moi-même.

Tom, très sérieux, a pincé les lèvres en secouant la tête.

— C'est ma dernière chance avant de repartir, ai-je insisté. Je me sens d'attaque.

Tom a observé l'océan d'un air studieux. La mer était spectaculaire, orageuse, si belle.

— Ça ne va pas être facile, a-t-il fini par dire.

Puis, avec sérieux :

— Tu te colles à moi. Tu vois cette bande dégagée, presque plate, là ?

J'ai regardé dans la direction qu'il indiquait avec son doigt. Les courants allaient dans tous les sens.

— C'est une zone dangereuse, à éviter. Retiens bien qu'une fois dans l'eau, tout peut bouger. Bref, si je décide que c'est assez, on rentre, compris ?

J'ai acquiescé gravement.

Joy est descendue à la mer. Les pieds à l'eau, l'œil attentif. Je l'ai rejointe. Mes pieds creusaient profondément le sable. Tirés vers l'avant, les coquillages roulaient autour de mes chevilles.

Le vent couvrait nos paroles. « Il faudra s'en remettre à la communication acoustique des baleines », ai-je pensé avant d'enjamber les premières vagues qui, déjà, éclaboussaient mon visage.

## Sauvetage en mer

L'impression d'être avalée, tirée vers le bas par les vagues de fond, m'obligeait à pousser de toutes mes forces pour plonger avant d'être happée, à nager rapidement dans les entre-deux. Ma respiration devait s'accorder au rythme saccadé de ces déferlantes.

Une seconde d'inattention et c'en était fait. J'étais ballottée par le remous, agrippée à ma planche. Quand j'ai vu que même Tom s'essoufflait, je me suis dit que c'était du sérieux. Mais l'effort réveillait un instinct primaire, le même que lorsqu'on court dans un blizzard. Je me sentais vivante.

Il y a eu une accalmie, le temps de voir se développer la prochaine vague. Elle a gonflé sous mes yeux, monstrueuse. Merde ! Tom et Joy m'ont fait signe de ne pas la prendre. J'étais d'accord. Il fallait jouer de vitesse pour éviter de la recevoir sur la tête, chercher la partie bleu foncé, puis piquer. La plongée a été longue, avec un effet de retour hors du commun. Je partais dans tous les sens, mon unique pensée était de ne surtout pas lâcher ma planche. J'ai enfin refait surface.

Tom et Joy se sont placés de chaque côté de moi. C'était fini, on rentrait. Trop risqué. Les premières gouttes de pluie commençaient à tomber. Chaudes. Derrière moi, une vague grossissait. Ma planche faisait face au rivage. Pas le temps de réfléchir. Le creux de la vague me rattrapait, je pouvais prendre cette courbe, je le sentais.

Sans crier gare, j'ai fait un bond maîtrisé, les pieds en plein dans le mille. Je tenais. Solidement. Le vent dans le dos, fouettée indistinctement par la pluie et la mer, j'ai filé à une vitesse hallucinante. J'étais sous la vague, la précédant de quelques secondes, dansant avec elle de gauche à droite. Comme dans un film.

Le danger est arrivé de biais. Une vague improbable est venue à la rencontre du monstre qui me portait, me projetant vers l'avant. Sous l'impact, l'élastique qui me retenait à ma planche a cédé. J'ai été engouffrée, j'ai senti mon corps écartelé. J'ai battu furieusement des jambes pour remonter et respirer.

Une nouvelle vague m'est tombée dessus. J'ai fait un roulé-boulé, me prenant des brassées de sable plein la gueule. Où était ma sœur ?

Il y a eu un choc, une roche, quelque chose de dur. Mon épaule a encaissé. J'ai avalé des litres d'eau. J'ai perdu la carte. J'étais un tout petit poisson, une algue lancinante.

Un autre choc. Mes genoux ont rencontré le sable, mais ma tête, miraculeusement, a fendu la surface. Un haut fond. J'ai rassemblé mes dernières forces pour me pousser à la verticale et tenter de me maintenir.

Je ne reconnaissais pas le rivage. L'air brûlait mes poumons.

— Capucine ! Je suis là, attrape ma main.

Tom. Puis d'autres visages indistincts. On m'a soulevée, transportée, ramenée à la vie.

En ouvrant les yeux à nouveau, sur la plage, j'ai protesté faiblement : « Je peux marcher, ça va ! » Quelqu'un a étouffé un rire.

On m'a portée jusqu'au restaurant. Enfin allongée, j'ai vu le visage de Joy penché sur moi. Je voulais parler, mais je n'étais que tremblements, comme si mon corps avait retenu la tempête à l'intérieur. Il m'aurait fallu un troisième poumon.

La langue de Walter m'a léché les pieds. Il a jappé trois fois, m'ordonnant de me lever, de rejoindre le troupeau de moutons. L'idée m'a donné envie de rigoler. Une douleur vive à l'épaule gauche m'a arrêtée net.

En anglais, Tom a renvoyé le chien avec un juron, puis a dit : « Tu as dû te cogner sur les écueils, loin, près de la Rocco. » Il s'est tu un instant, a souri : « Il faut reconnaître que tu es coriace. Tu es revenue. »

J'ai réussi à articuler :

— Une vraie débutante, hein ?

— En vérité, non. Tu l'as eue, Capucine ! Tu as tenu ! Tu étais belle à voir, effrayante, mais vraiment belle.

Joy lui a lancé un regard noir. Il s'est tu.

— J'ai perdu la planche, ai-je soufflé.

— Ta planche est revenue d'elle-même, intacte. Elle est à toi. Je te la garde.

— Arrête, tu vas me faire pleurer.

Tom et Joy ont eu le même sourire.

Restait cette blessure. L'épaule m'élançait méchamment.

— J'ai mal.

— Oui. Il va falloir retirer la combinaison.

Quelle torture ! J'ai laissé échapper un cri en tentant de sortir mon bras de la manche.

En maillot, je me suis mise à frissonner. On m'a enveloppée dans une couverture.

Un genre de secouriste s'est approché, un ami de Tom, ai-je compris. Il était torse nu et avait un corps à la *Bay Watch*. En commençant par le bas, il a examiné chacun de mes os, des tibias aux clavicules, en passant par le sacrum. J'ai rigolé bêtement. Il s'est saisi de mon épaule gauche pour faire rouler l'articulation. L'envie de rigoler m'est passée net. J'ai eu envie de le mordre.

Bilan : je m'étais pris un sacré coup, une entaille pas très jolie sur le pied gauche, mais il n'y avait pas de fractures apparentes. De la glace et des anti-inflammatoires. L'épaule allait bleuir et enfler. Bref, j'allais souffrir, mais je m'en sortais très bien. Je rentrerais chez moi éclopée, le corps portant les empreintes de la Manche. J'espérais presque une cicatrice permanente, une forme de tatouage. Un ancrage.

— Il faudrait quand même faire une radiographie de l'épaule, une fois rentrée au Canada, a ajouté l'infirmier à la peau parfaitement lisse et bronzée.

La porte a claqué. Lily est entrée en coup de vent, s'élançant vers moi les bras ouverts, avec la détermination aveugle d'un tank. J'ai fermé les yeux pour l'accueillir et mieux encaisser. Elle s'agrippait à moi comme un bébé koala et je me refermais sur elle, ravalant la douleur. « Lily », ai-je répété pour moi-même. « Lily, Lily… »

À l'extérieur, étonnamment, le temps, lourd d'humidité, s'était éclairci. Des rayons de soleil perçaient le couvert des nuages. J'ai aperçu des planches au loin. Des fous furieux.

— Le temps va se gâcher avec la prochaine marée, a précisé Joy.

J'ai insisté pour descendre sur la plage, histoire de faire la paix avec la mer. Une façon de tirer ma révérence. Demain, déjà, je quittais l'île de ma sœur. « Sans rancune », ai-je murmuré en ramassant un dernier galet noir. Une pièce de collection.

Dans l'escalier, j'ai étranglé au fond de mon ventre un sanglot, presque une plainte. Le chant étouffé d'une baleine.

# Ecchymoses

Joy a passé la soirée à appliquer des compresses glacées sur mon épaule et à répéter combien il était insensé de voyager dans cet état.

— *You have to stay !* disait-elle d'un ton blagueur, mais avec une pointe de sérieux qui signifiait que, oui, au fond, on pouvait encore tout annuler.

Les analgésiques m'ont permis de dormir une partie de la nuit. Aux alentours d'une heure du matin, j'ai été réveillée par une douleur aiguë au ventre. Mes règles.

Je me suis levée péniblement. Mon corps n'était que douleur. En enjambant Walter avec précaution, j'ai songé à appeler Luce, ou même ma mère, en quête de réconfort.

Dans l'étroit lavabo de la salle de bain, j'ai frotté les taches sur mon pyjama avec du savon, en regardant les stries rouges s'écouler. Je me donnais du mal pour rien. J'aurais pu tout jeter à la poubelle.

Je suis retournée me coucher, mais je savais déjà que je ne me rendormirais pas. Plus que mes crampes, c'est une peine incommensurable qui me faisait souffrir. Partir d'ici m'arrachait le cœur.

Je voulais du froid sur mon épaule et du chaud sur mon ventre. À l'extérieur, c'était le déluge. La pluie tombait dru sur l'ardoise du toit. Les murs craquaient, les fenêtres grinçaient. Un vent à réveiller les fantômes et les peurs d'enfant. Le tonnerre a fait sursauter Lily.

— Descends dans mon lit, lui ai-je dit doucement.

Elle s'est blottie contre moi, petite boule recroquevillée, poings fermés. J'ai flatté ses cheveux, lissant la peau du front comme le faisait autrefois ma grand-mère. La respiration de Lily s'est adoucie, est devenue régulière. Elle s'était rendormie. Un cauri s'est échappé de sa main et s'est perdu dans les draps. Je veillais sur son sommeil, et cela m'apaisait. Aux aurores, enterrant le chant du coq, j'ai reconnu le bruit de la Volks. Tom rentrait après avoir passé la nuit dehors, à réparer les dégâts causés par la tempête.

Dans la cuisine, Joy et Tom buvaient leur habituel *builder's tea.*

— Tu boites ? s'est étonné Tom.

— Ce n'est rien, seulement ma cheville qui n'est pas bien réveillée.

Joy avait une petite mine désolée, les paupières rouges et enflées. Une nuit de démangeaisons, sans l'ombre d'un doute.

— Fais-moi voir ton épaule, m'a-t-elle dit tout en m'aidant à soulever mon t-shirt. *Yikes !* Tu as un bleu de la taille d'un ballon.

Du bout des doigts, elle a appliqué une pommade

mentholée sur la zone endolorie, puis a badigeonné aussi ma cheville.

Pour tromper l'humeur, j'ai fait des crêpes. Lily ajoutait les œufs un à un, puis le lait, la farine tamisée, le sel et le beurre fondu. Elle a plongé le doigt dans la pâte. Le goût l'a fait grimacer :

— *I don't like it.*

— Attends, tu vas voir.

J'ai fait un rond doré dans la poêle. Pour impressionner Lily, j'ai fait voler une crêpe dans les airs pour la retourner. Mais ma blessure a gêné la manœuvre, et j'ai eu beau faire des acrobaties, la crêpe s'est aplatie sur le plancher.

— La première est toujours ratée, ai-je expliqué en ramassant la crêpe sacrifiée.

Lily riait aux éclats. Elle voulait que je recommence, que je fasse le clown. J'ai obtempéré en m'imprégnant de son rire de rocaille.

Tom a posé les crêpes au centre de la longue table en bois. Certaines étaient irrégulières, mais elles s'empilaient en une montagne fumante et appétissante. Walter attendait sa part en agitant la queue, au pied de ma chaise. J'avais pris l'habitude de partager en cachette. Évidemment, personne n'était dupe. Tom a trempé son nez dans la crème. Joy forçait sur le rire, se grattant nerveusement le dessus des mains.

## Plier bagage

Pour épargner mon épaule, j'ai décidé de laisser à Jersey ma vieille valise et presque tout son contenu. De cette façon, je semais aussi des traces de mon passage.

Je n'ai pris qu'un sac à dos où j'ai entassé ce que je ne voulais pas laisser derrière. Je rapportais de Jersey l'opale de Joy, des pierres blanches, des galets noirs et quelques cauris. J'en offrirais un à Armand. J'ai aussi pris le recueil de Patti Smith. Le livre faisait partie du voyage. Je m'y étais attachée.

Le bikini noir m'a fait hésiter. Puis, je me suis fait la réflexion qu'en acheter un nouveau ferait plaisir à Solange. Solange qui m'avait écrit pour me demander si je souhaitais qu'elle vienne me chercher à l'aéroport. J'avais accepté. Étrangement, après tout ça, j'avais envie de la revoir. Je savais maintenant que nous avions chacune nos histoires. La mienne m'appartenait. Je l'avais extirpée d'un amas d'ombres familiales, comme on tire sur un fil pour déprendre une pelote de laine.

Voilà. Tout y était.

## *Farewell*

Il était l'heure de quitter la maison de ma sœur, de quitter son île. J'ai fait un dernier tour, saluant les poules au passage, le satané coq, cueillant une fleur bleutée que j'ai placée entre les pages du livre de Patti Smith.

Ils sont tous venus me reconduire au port.

— Tu veux un brancard pour le voyage, l'éclopée ? a plaisanté Tom. Je peux t'arranger ça, je connais le capitaine.

Accolade franche, asymétrique, pour épargner mon épaule blessée. Il portait ses vêtements de la veille et sentait un peu la sueur, la pluie et la poussière. À l'oreille, il m'a dit : « Bravo pour la vague. On t'attend l'année prochaine ! »

Lily a protesté contre mon départ en s'accrochant à mes jambes. On lui a promis un sac de bonbons. Avec un froncement pensif de sourcils, elle a laissé notre étreinte se délier.

Restait Joy. Quand elle m'a serrée contre son cœur, la croix en or a rencontré l'opale. Les pendentifs ont tinté l'un contre l'autre, comme des clochettes ou des coupes de champagne. J'ai respiré à fond son parfum de verveine.

Des larmes coulaient sous ses lunettes rondes et noires. Je devinais ses yeux boursouflés. Sa peine lui causerait des démangeaisons tout au long de la journée et encore plus pendant la nuit.

— Je vais revenir bientôt, ai-je murmuré dans un sanglot impossible à retenir.

— Reviens quand tu veux, reviens à Noël, à Pâques, reviens passer tous tes étés, n'importe quand mais reviens, d'accord ?

— Promis.

J'ai flatté le chien entre les oreilles, creusant dans les poils. Quelques-uns se sont collés à mes doigts.

J'ai marché vers le traversier, je ne me suis pas retournée.

# Dernier regard

En regardant l'île de Jersey rapetisser depuis le pont du bateau, j'ai pensé au lierre qui s'entortillait partout sur l'île, aux bosquets de ronces, aux pivoines et à l'odeur de crottin dans les chemins de terre.

Aux marées.

Aux vents qui soulevaient la mer.

À la bonté pure de Tom.

Aux pieds nus de Joy.

Aux chaloupes sereines.

À notre saut vertigineux, au bout du quai.

À la couleur et à la texture graniteuse de chaque pierre.

Aux oreilles de lutin de Lily.

À tous nos jeux.

Aux falaises rousses.

À l'empreinte de mes pieds dans le sable mouillé.

Aux yeux verts de ma sœur.

Aux yeux verts de ma sœur…

Les mains dans les poches, mes doigts se sont refermés sur des galets oubliés. J'ai fermé les yeux pour m'évader à l'intérieur, dans le noir, là où l'émotion pouvait s'épanouir, là où je pouvais retrouver l'île.

# La Pocatière

Nous étions debout sur la jetée. Luce a passé son bras sous le mien, non pas pour y prendre appui, mais pour se rapprocher de moi. Aux abords du fleuve, la brise était fraîche, annonçant l'automne. Une feuille a volé jusqu'à nous. De grosses pierres grises s'empilaient sur la grève. Une brume épaisse enveloppait les montagnes qui se découpaient sur la rive opposée.

— On a une impression de bord de mer, a dit Luce.

— Vraiment.

Elle a ajouté :

— En bouquinant, je suis tombée sur cette phrase de Jean Jaurès : « C'est en allant vers la mer que le fleuve reste fidèle à sa source. » C'est beau, non ?

Je lui ai répondu par un sourire.

À Montréal, il m'arrivait souvent de chercher l'eau, d'orienter mon regard vers le sud, en direction du fleuve. J'imaginais alors le courant descendant, l'ouverture vers le large, et je fermais les yeux pour percevoir le cri des mouettes et l'odeur minérale de l'eau et du varech. C'était ma prière à La Mecque.

De La Pocatière, je pointais vers l'est, poussant au-delà de l'Atlantique, jusqu'à la Manche. Je savais désormais où trouver Joy Piper, ma sœur anglaise, ma sœur de mer.

L'insulaire.

# Remerciements

Parmi les personnes qui m'ont aidée à écrire ce livre, je tiens à remercier mon infatigable éditrice Catherine Ostiguy, qui a veillé sur mes personnages et mes mots en s'assurant que tous les morceaux s'imbriquaient ensemble du début à la fin.

Merci également à Elsa, Éveline, Anne, Lou, Line, Julie-Anne, Max, aux indéfectibles voisins de la rue Casgrain pour m'avoir lue et relue, mais surtout pour avoir été là lorsqu'il le fallait.

CRÉDITS ET REMERCIEMENTS

Les Éditions du Boréal remercient le Conseil des arts du Canada
ainsi que le gouvernement du Canada pour leur soutien financier.
Canadä

Les Éditions du Boréal sont inscrites au Programme d'aide
aux entreprises du livre et de l'édition spécialisée de la SODEC
et bénéficient du Programme de crédit d'impôt pour l'édition
de livres du gouvernement du Québec.
Québec

Couverture : Julie Larocque

Crédits et remerciements

Les Éditions du Boréal remercient le Conseil des arts du Canada
ainsi que le gouvernement du Canada pour leur soutien financier.
Canadä

Les Éditions du Boréal sont inscrites au Programme d'aide
aux entreprises du livre et de l'édition spécialisée de la SODEC
et bénéficient du Programme de crédit d'impôt pour l'édition
de livres du gouvernement du Québec.
Québec

Couverture : Julie Larocque

## EXTRAIT DU CATALOGUE

**BORÉAL JUNIOR**

1. *Corneilles*
2. *Robots et Robots inc.*
3. *La Dompteuse de perruche*
4. *Simon-les-nuages*
5. *Zamboni*
6. *Le Mystère des Borgs aux oreilles vertes*
7. *Une araignée sur le nez*
8. *La Dompteuse de rêves*
9. *Le Chien saucisse et les Voleurs de diamants*
10. *Tante-Lo est partie*
11. *La Machine à beauté*
12. *Le Record de Philibert Dupont*
13. *Le Bestiaire d'Anaïs*
14. *La BD donne des boutons*
15. *Comment se débarrasser de Puce*
16. *Mission à l'eau !*
17. *Des bleuets dans mes lunettes*
18. *Camy risque tout*
19. *Les parfums font du pétard*
20. *La Nuit de l'Halloween*
21. *Sa Majesté des gouttières*
22. *Les Dents de la poule*
23. *Le Léopard à la peau de banane*
24. *Rodolphe Stiboustine ou L'enfant qui naquit deux fois*
25. *La Nuit des homards-garous*
26. *La Dompteuse de ouaouarons*
27. *Un voilier dans le cimetière*
28. *En panne dans la tempête*
29. *Le Trésor de Luigi*
30. *Matusalem*
31. *Chaminet, Chaminouille*
32. *L'Île aux sottises*
33. *Le Petit Douillet*
34. *La Guerre dans ma cour*
35. *Contes du chat gris*
36. *Le Secret de Ferblantine*
37. *Un ticket pour le bout du monde*
38. *Bingo à gogos*
39. *Nouveaux contes du chat gris*
40. *La Fusée d'écorce*
41. *Le Voisin maléfique*
42. *Canaille et Blagapar*
43. *Le chat gris raconte*
44. *Le Peuple fantôme*
45. *Vol 018 pour Boston*
46. *Le Sandwich au nilou-nilou*
47. *Le Rêveur polaire*
48. *Jean-Baptiste, coureur des bois*
49. *La Vengeance de la femme en noir*
50. *Le Monstre de Saint-Pacôme*
51. *Le Pigeon-doudou*
52. *Matusalem II*

53. *Le Chamane fou*
54. *Chasseurs de rêves*
55. *L'Œil du toucan*
56. *Lucien et les ogres*
57. *Le Message du biscuit chinois*
58. *La Nuit des nûtons*
59. *Le Chien à deux pattes*
60. *De la neige plein les poches*
61. *Un ami qui te veut du mal*
62. *La Vallée des enfants*
63. *Lucien et le mammouth*
64. *Malédiction, farces et attrapes !*
65. *Hugo et les Zloucs*
66. *La Machine à manger les brocolis*
67. *Blanc comme la mort*
68. *La forêt qui marche*
69. *Lucien et la barbe de Dieu*
70. *Symphonie en scie bémol*
71. *Chasseurs de goélands*
72. *Enfants en guerre*
73. *Le Cerf céleste*
74. *Yann et le monstre marin*
75. *Mister Po, chasseur*
76. *Lucien et les arbres migrateurs*
77. *Le Trésor de Zanlepif*
78. *Brigitte, capitaine du vaisseau fantôme*
79. *Le Géant à moto avec des jumelles et un lance-flammes*
80. *Pépin et l'oiseau enchanté*
81. *L'Hiver de Léo Polatouche*
82. *Pas de poisson pour le réveillon*
83. *Les Contes du voleur*
84. *Le Tournoi des malédictions*
85. *Saïda le macaque*
86. *Hubert-Léonard*
87. *Le Trésor de la Chunée*
88. *Salsa, la belle siamoise*
89. *Voyages avec ma famille*
90. *La Bergère de chevaux*
91. *Lilou déménage*
92. *Les géants sont immortels*
93. *Saucisson d'âne et bave d'escargot*
94. *Les Rats de l'Halloween*
95. *L'Envol du dragon*
96. *La Vengeance d'Adeline Parot*
97. *La Vraie Histoire du chien de Clara Vic*
98. *Lilou à la rescousse*
99. *Bibitsa ou L'étrange voyage de Clara Vic*
100. *Max au Centre Bell*
101. *Les Ombres de la nuit*
102. *Max et la filature*
103. *Mesures de guerre*
104. *En mai, fais ce qu'il te plaît*
105. *Max et le sans-abri*
106. *Amour de louve*
107. *La Forêt des insoumis*
108. *Max et Freddy la terreur*
109. *Un été à Montréal*
110. *Adieu mon beau chalet*
111. *Max et la belle inconnue*
112. *Élisabeth et le Super Midi Club*
113. *Élisabeth dans le pétrin*
114. *Élisabeth à la rescousse*
115. *Le Cirque ambulant*
116. *Max au secours de Théo*
117. *La Fantastique Aventure en forêt*

**BORÉAL INTER**

1. *Le raisin devient banane*
2. *La Chimie entre nous*
3. *Viens-t'en, Jeff !*
4. *Trafic*
5. *Premier But*
6. *L'Ours de Val-David*
7. *Le Pégase de cristal*
8. *Deux heures et demie avant Jasmine*
9. *L'Été des autres*
10. *Opération Pyro*
11. *Le Dernier des raisins*
12. *Des hot-dogs sous le soleil*
13. *Y a-t-il un raisin dans cet avion ?*
14. *Quelle heure est-il, Charles ?*
15. *Blues 1946*
16. *Le Secret du lotto 6/49*
17. *Par ici la sortie !*

18. *L'assassin jouait du trombone*
19. *Les Secrets de l'ultra-sonde*
20. *Carcasses*
21. *Samedi trouble*
22. *Otish*
23. *Les Mirages du vide*
24. *La Fille en cuir*
25. *Roux le fou*
26. *Esprit, es-tu là ?*
27. *Le Soleil de l'ombre*
28. *L'étoile a pleuré rouge*
29. *La Sonate d'Oka*
30. *Sur la piste des arénicoles*
31. *La Peur au cœur*
32. *La Cité qui n'avait pas d'étoiles*
33. *À l'ombre du bûcher*
34. *Donovan et le secret de la mine*
35. *La Marque des lions*
36. *L'Or blanc*
37. *La Caravane des 102 lunes*
38. *Un grand fleuve si tranquille*
39. *Le Jongleur de Jérusalem*
40. *Sous haute surveillance*
41. *La Déesse noire*
42. *Nous n'irons plus jouer dans l'île*
43. *Le Baiser de la sangsue*
44. *Les Tueurs de la déesse noire*
45. *La Saga du grand corbeau*
46. *Le Retour à l'île aux Cerises*
47. *Avant que la lune ne saigne*
48. *Lettre à Salomé*
49. *Trente-neuf*
50. *BenX*
51. *Paquet d'os et la Reine des rides*
52. *Les Belles Intrépides*
53. *Le Château des Gitans*
54. *L'Exode des loups*
55. *La Mauvaise Herbe*
56. *Une bougie à la main*
57. *21 jours en octobre*
58. *Le Toucan*
59. *Les Années de famine*
60. *La Révolte*
61. *Sans consentement*
62. *Destins croisés*
63. *Les Oies sauvages*
64. *Les Pierres silencieuses*
65. *Lili Moka*
66. *Les poèmes ne me font pas peur*
67. *Cahokia*
68. *Saint-Icitte du bout du monde*
69. *Flannery*
70. *Les Marées*
71. *Pistolero*
72. *Rohingyas*

**VOYAGE AU PAYS DU MONTNOIR**

1. *La Ville sans nom*
2. *L'Énigme des triangles*
3. *La Dame à la jupe rouge*

**LES CARCAJOUS**

1. *Mystère à Lake Placid*
2. *Le Vol de la coupe Stanley*
3. *La Baie de tous les dangers*
4. *Terreur au camp de hockey*
5. *L'Homme à la dent d'or*
6. *Complot sous le soleil*
7. *Une dangereuse patinoire*
8. *Cauchemar à Nagano*
9. *Compte à rebours à Times Square*
10. *Mensonges et Dinosaures*
11. *Le Fantôme de la coupe Stanley*
12. *Meurtres sur la côte*
13. *L'Enfant du cimetière*
14. *Dragons en danger*
15. *Épreuve de force à Washington*
16. *Sauvetage en forêt*
17. *Jeux d'hiver*
18. *Attaque à la tour de Londres*
19. *Les Retrouvailles des Carcajous*

Ce livre a été imprimé sur du papier 100 %
postconsommation, traité sans chlore, certifié ÉcoLogo
et fabriqué dans une usine fonctionnant au biogaz.

MISE EN PAGES ET TYPOGRAPHIE :
LES ÉDITIONS DU BORÉAL

CE DEUXIÈME TIRAGE A ÉTÉ ACHEVÉ D'IMPRIMER EN JUILLET 2018
SUR LES PRESSES DE MARQUIS IMPRIMEUR
À MONTMAGNY (QUÉBEC).